ドキュメント
宇宙飛行士選抜試験

大鐘良一　小原健右

光文社新書

はじめに

それは今から2年前、２００８年の冬の夜だった。

「宇宙飛行士を10年ぶりに募集します」

というＮＨＫのニュースに、私は体中の血液が沸騰するかのような興奮を覚えた。気がつけば、同じＮＨＫ内にあるニュースセンターへとひた走り、「絶対に今回の宇宙飛行士募集のドキュメンタリーを自分につくらせてほしい！」と、そのニュースを発信した報道局科学文化部のデスクに詰め寄り、強引に頷《うなず》かせたのだ。

というのも、その10年前に行われた「宇宙飛行士募集」のときにも、同じような興奮を覚え、当時、日本の宇宙開発を担っていた組織ＮＡＳＤＡ《ナスダ》（現・ＪＡＸＡ《ジャクサ》の前身）に、実現すれば本邦初となる選抜試験全容の撮影許可を、申し込んだ経緯があったからだ。しかし、当時は時代が違った。まだ若かった私のつたない説得力では、〝極秘事項〟である宇宙飛行士選抜試験の内幕に入り込むことは叶《かな》わなかった。

それから10年の間、私は「宇宙飛行士選抜試験」という、未知の世界を覗《のぞ》く機会が到来する日を待ち続けた。そして、ようやくそのチャンスが巡ってきたのである。

しかし、宇宙飛行士募集のニュースが報道されてから3か月経《た》っても、ＪＡＸＡとの交渉を担っていた科学文化部のデスクからは、うまくいったかどうかの返事はなく、ただ時間だけが過ぎていった。

今回も無理かとあきらめていた5月、私は、一人の若手記者から電話連絡を受けた。

「もしかしたら、今回の選抜試験、密着ドキュメントが撮れるかもしれません」

その記者こそ、今回一緒にＮＨＫスペシャル「宇宙飛行士はこうして生まれた　～密着・最終選抜試験～」（２００９年3月放送）を制作し、本書を一緒に著している報道局科学文化部の小原健右だった。彼からの、「宇宙へ行くことに、誰も驚かなくなった今だからこそ、この選抜試験に人生を賭けて夢を追う若者たちの姿を世に訴える必要がある」という度重なる説得に、試験を実施するＪＡＸＡ（日本宇宙航空研究開発機構）の幹部も心を動かされ、試験にＴＶカメラを入れるという前代未聞の英断を下してくれたのだ。

こうして、日本初公開となる「宇宙飛行士選抜試験」の密着ドキュメントが始まった。

ではなぜ、私たちは、「宇宙飛行士選抜試験」に密着したかったのか?

その理由はただ一つ。「宇宙飛行士」という職業に就く人間は、世界でも数える程しかいない、いわば「人類代表」である。そうした、天才とも超人とも思われる宇宙飛行士が選ばれるプロセスそのものへの興味と、想像を絶する激しい競争が見られるのではないかという大きな期待があったからだ。

しかし、およそ1年がかりで追い続けた宇宙飛行士選抜試験で我々が目にしたものは、超人が華々しくその天才ぶりを発揮する姿でも、凡人には理解できない難解な試験が繰り広げられる光景でもなかった。

あえて短い言葉で表現するなら……

どんなに苦しい局面でも決してあきらめず、他人を思いやり、その言葉と行動で人を動かす力があるか

その〝人間力〟を徹底的に調べ上げる試験だったのである。

「宇宙飛行士選抜試験」は、独立行政法人・ＪＡＸＡへの中途採用試験だ。その意味では、

毎年大学生たちが駆けずり回っている〝就活〟と大差はない。企業が大学生たちに求めるのも、「決してあきらめず、他人を思いやり、人を動かす力がある」ことではないかと思う。レベルの差こそあれ、大学生が内定を勝ちとるために求められる資質も、宇宙飛行士に求められる資質も、根本的には同じなのだ。

また、企業で働くビジネスマンが、責任あるポストに昇進するときに求められる資質も同じ〝人間力〟に違いない。どんなに苦しい局面に陥っても、部下を引っ張っていく統率力が求められるからだ。

「宇宙飛行士選抜試験」で出された数々の課題を、候補者たちがどのように乗り越えていくのか。そのプロセスを見ていくと、必ず〝就活〟の大学生にとっても、ビジネスマンにとっても、それぞれが抱える課題への活路を見いだすヒントが隠されているはずである。

私たちNHKクルーは、最終選抜試験に残った10人の候補者たちの、それまでに歩んできた人生にも肉薄した。平均年齢34歳、家族を抱えて働き盛りである彼らが、「宇宙飛行士になりたい」という子どもの頃からの夢に挑戦するのは並大抵のことではない。それでも夢をあきらめずに追い求める姿を目《ま》の当たりにして、私たちは「日本の若者たちもすごい！」と将来への希望を抱くことができた。そして、彼らの挑戦は、支える家族がいて初めて可能になったのだということも、撮影を通して知ることができた。

本書では、「宇宙飛行士選抜試験」という史上初めて明らかになるその全容をつぶさに見ていくとともに、そこで出会った人々の夢と挑戦、成功と挫折の物語にも迫っていく。

その中から、今後就活や日々の仕事に取り組む上で役に立つヒントや、夢を追うことの素晴らしさを感じ取っていただければ幸いである。

ＮＨＫ報道局　専任ディレクター　大鐘良一

目次

第1章　選び抜かれた10人の〝プロフェッショナル〟たち

＊宇宙飛行士募集を待ち続けた963人

宇宙飛行士募集のポスター

日本の航空宇宙分野での研究開発を担う、独立行政法人・日本宇宙航空研究開発機構ＪＡ《ジャ》ＸＡ《クサ》。そのＪＡＸＡが２００８年2月27日に行った発表に、日本中にいる多くの人たちが心を躍らせた。

『ＩＳＳ（国際宇宙ステーション）長期滞在に対応可能な日本人宇宙飛行士の候補者を新規に募集・選抜する』

ＪＡＸＡは、日本の有人宇宙開発を一手に担ってきた。ＮＡ《ナ》ＳＡ《サ》＝アメリカ航空宇宙局の協力を得て、スペースシャトルにこれまで、7人の日本人宇宙飛行士を乗り組ませてきた。そのJAXAが、選抜試験を行って、新たな宇宙飛行士を採用すると発表したのだ。

NASAの場合、宇宙飛行士の選抜試験は毎年のように行われ、これまで330人あまりの宇宙飛行士が誕生している。しかし日本の場合、試験はそう頻繁には行われない。今回を含め、ここ25年間で5回しか行われておらず、日本人宇宙飛行士は通算で8人しかいない。日本の総人口がおよそ1億2800万人(2005年現在)であるから、宇宙飛行士になれる確率は、1600万人に1人だ。

前回の選抜試験から、すでに10年の月日が流れていた。それだけに、今回の募集の発表を特別な思いで受け止めた人は、数多くいた。

選抜試験に応募するために、まず必要とされた条件は、「自然科学系の大学を卒業し、実務経験が3年以上あること」である。この条件を満たし、JAXAに応募書類を送ってきたのは合計、963人。これまでの選抜試験で最も多い応募者数だ。

応募者の年齢は20代から50代までと幅広く、特に多かったのは30代、40代の働き盛りの世代で、全体の7割を占めていた。職種は「会社員」が5割と最も多く、みな、それぞれの組織の第一線で活躍している人材ばかりであった。著名な研究機関で最先端の研究にいそしむ科学者や、ロケット開発に携わる技術者、飛行機のパイロット、医師、大企業のサラリーマンなど様々で、中には、ＩＴのベンチャー企業を経営する青年実業家や、世界を巡る旅客船に乗り組む医師など、個性的な経歴の持ち主も名乗りを上げていた。

その応募動機は様々だ。「テレビで宇宙飛行士の仕事ぶりを見たが、あのくらいだったら俺にもできる」「語学力や体力など、自分の能力は宇宙飛行士にぴったりだ」「10年間、体を鍛えて待ち続けた」。

ただ共通していたのは、どんなに歳《とし》を取っても「宇宙に行きたい」という幼いころからの夢を、あきらめられない者たちだったことだ。

こんな志望動機を書いた応募者もいる。

「宇宙飛行士を目指し続けないと、自分が自分でなくなります」

福山浩（54）。石油精製プラントの設計・開発にあたってきた技術者で、今回の選抜試験を心待ちにしていた。

福山の挑戦は、四半世紀以上も前にさかのぼる。１９８５年、日本で初めて行われた宇宙飛行士の選抜試験に応募したのが最初の挑戦だった。それ以来、行われてきた選抜試験すべてに欠かさず応募してきた強者《つわもの》だ。

福山の少年時代には、アポロ11号の月面着陸があった。アームストロング船長が、人類で初めて月面に降り立つ姿をテレビで見て以来、いつか自分も、宇宙から青く輝く地球を眺めてみたいと夢見るようになった。

しかし現実は厳しかった。当時、宇宙に行けるのはアメリカ人とロシア人だけだった。「日本人は当分、宇宙に行けそうにない」。学生時代の福山は、夢を胸の奥底にしまいこんで、技術者の道を選んだ。

宇宙への夢が、遠い過去のものになりかけていた、28歳のとき。福山は「日本人宇宙飛行士、はじめて募集!」のニュースを見た。

福山はそのとき、全身が震えるほどの大きな衝撃を受けたという。

「日本人も宇宙に行ける時代が来た。挑戦しない手はない!」

そして最初に挑んだ選抜試験。しかし結果は不合格。第2次選抜まで残ることはできたが、最終選抜まで進むことはできなかった。

福山の代わりに選ばれたのが、北海道大学の助教授、毛利衛《もうりまもる》さん、慶應義塾大学の医師、向井千秋《むかいちあき》さん(旧姓 内藤千秋)、それに宇宙科学の研究者、土井隆雄《どいたかお》さんの3人だった。

この選抜試験で、福山にとって忘れられない出来事があった。それは、第2次選抜の面接試験が終わった日の、帰り道のこと。福山は、同じく面接試験を受けた、一人の女性応募者と一緒に駅に向かって歩いていた。

試験が思うようにいかなかった福山は、弱気になっていた。そしてこの女性に、思わず「もしかしたらダメかもしれない」と打ち明けてしまった。夢にまで見つづけてきたチャンスなのに力を出し切れなかったと落ち込む福山に、女性は満面の笑顔で明るく言った。

「そんなことは絶対にないよー！　一緒に宇宙に行こうよー！」

その女性こそ、日本人女性として初めて宇宙飛行士に選ばれた、向井千秋さんだった。

向井さんも、福山と変わらぬ立場にあった。面接はもちろん、2次選抜の結果が気になっていたはずだ。それなのに、競争相手である自分を気遣い、励ます余裕を見せた。

そんな前向きな向井さんを見て、福山は「ああ、こういう人が宇宙に行くのだろうか」と感じたという。そして「宇宙に一緒に行こうよー！」という向井さんの言葉が、忘れられなくなった。試験に落ちたあとも、宇宙飛行士の夢をあきらめずに追い続ける、原動力の一つになっていた。

「1回目で、宇宙飛行士という夢に向かって挑戦することの魅力に取り憑《つ》かれました。向井千秋という魅力的な人間に出会えたのも、挑戦したからこそです。私も宇宙飛行士になって、向井さんと一緒に宇宙に行きたい。あの日の約束を果たしたい。体力の強化や英語力の向上など、気持ちと努力は誰にも負けていないはず。次のチャンスこそは、と信じ続けてきました」

しかし、7年後に行われた2回目の選抜試験（1992年、日本航空の整備士、若田光一《わかたこういち》さんが合格）、さらにその4年後の3回目の試験（1996年、石川島播磨重工業の技術者、野口聡一《のぐちそういち》さんが合格）でも夢は叶わなかった。そして、前回の試験が行われた1999年。福山はすでに40歳を越えていた。

結果は、このときも不合格。一般教養や物理などの科学知識を問われる1次選抜で敗退した。

はじめて受けた試験から、すでに10年以上の歳月が過ぎていた。福山にとって、年齢的にも体力的にも、条件が厳しくなる一方だ。しかしそれでも、福山はあきらめない。5回目の選抜試験が行われると、信じ続けてきた。

そして、50代となった2008年。待ち焦がれていたチャンスが、10年ぶりに訪れた。福山は迷うことなく応募した。

書類選考は通過した。しかし、英語の筆記試験で不合格になり、１次選抜にも進むことができなかった。それでも福山は、宇宙飛行士になる夢をあきらめるつもりはないという。

「次の機会も当然、応募します。夢をあきらめないからこそ、今の自分があり、人生がある。向井さんとともにスペースシャトルに乗り組んだ、ジョン・グレン宇宙飛行士は、77歳で宇宙飛行をしています。それを考えると、私もまだまだやれる。１％でも可能性がある限り、私は挑戦し続けます」

向井千秋さんとのあの日の約束を果たすまで、福山の夢への挑戦は続く。

今回、宇宙飛行士に挑む、963人には、それぞれの夢にかける思いがあり、ここに至るまでの人生があった。福山と同じように、他の仕事をしながら宇宙飛行士になることを諦めきれず、受験し続ける50代のベテランや、宇宙飛行士になるためにひたすら勉強し、宇宙開発の仕事をしながらチャンスを窺《うかが》ってきた20代の若者もいる。10年ぶりとなった今回の選抜試験への想いは、我々の想像を超えて熱く、人生をかける覚悟の上での挑戦だったのである。

＊大きなリスクを負う覚悟

ところが実際、宇宙飛行士に選ばれると、単なる夢では済まされないくらい大きなリスクを背負うことになる。

宇宙へ行くということは、今も命を落とす危険と隣り合わせであるからだ。アメリカのスペースシャトルは、これまで2回の事故を起こしている。1986年の「チャレンジャー号」の爆発事故と、2003年の「コロンビア号」の空中分解事故だ。あわせて14人の宇宙飛行士が、一瞬にして命を奪われた。

また、それまでに積み上げてきたキャリアも捨てなければならない。そして、一人前の宇宙飛行士として認められるためには、最低でも2年間の訓練が必要だと言われており、その2年の訓練を順調に終えたとしても、宇宙に行けるようになるためにはさらに2年の訓練が必要だ。しかし、他にも宇宙飛行士はいる。このため宇宙飛行の機会は、そう簡単には巡ってこない。10年以上待たされることも珍しくない。

さらに、生活は激変する。日本の宇宙飛行士は、主にNASA＝アメリカ航空宇宙局で訓練を受けることになる。このため、アメリカに移り住まなければならない。家族を連れていくのであれば、子どもたちの教育環境も一変する。また、仮に持ち家があれば、売却することにもなる。

収入の面でも、大きな変化を経験する人もいるだろう。宇宙飛行士とは、そもそもJAX

Aの職員で、選抜試験はつまるところJAXAの中途採用試験である。今回の募集要項によると、「採用時本給　大卒30歳　約30万円　大卒35歳　約36万円」とある。つまり、宇宙飛行士は、命をかけるほどリスクが高い割には、給料は公務員とあまり変わらない。これはNASAでもそうで、世界的に見ても同じだという。

応募した963人の中には、医師や民間航空会社のパイロットなど、年収が数千万円という極めて高額の人も多い。このため人によっては、収入面、ひいては生活面においても大きな影響がある。

収入、生活、キャリア、そして命のリスク。宇宙飛行士になるということは、こうした大きなリスクを背負うことにもなるのだ。

チャレンジャー号の爆発（1986年）／NASA提供

＊宇宙飛行士選抜の流れ

２００８年6月に始まった、宇宙飛行士の選抜試験。まず963人の応募者は、志願書や経歴書に加えて、健康診断書などの提出が求められた。そして、最初の書類選考と英語の筆記・ヒアリング試験で、４分の１以下の230人に絞られた。宇宙飛行をするためには、健康でなければならない。がんなどの３大疾病《しっぺい》はもちろんのこと、生活習慣病を発病している人や、その恐れがきわめて高い人は、この段階で不合格となる。また英語力は、世界各国の宇宙飛行士とコミュニケーションをとる上で必須だ。

続く８月。230人を対象に、１次選抜試験が行われた。試験ではさらに詳細な医学検査と、心理・精神面の検査が重点的に行われた。選ばれた人間は、宇宙に長期間、滞在することになる。そのためには、体だけではなく、心理・精神の面でも、健康である必要がある。

宇宙は空気がなく、ほぼ真空で無重力状態。そこに浮かぶスペースシャトルや国際宇宙ステーション

宇宙飛行士への選抜の流れ

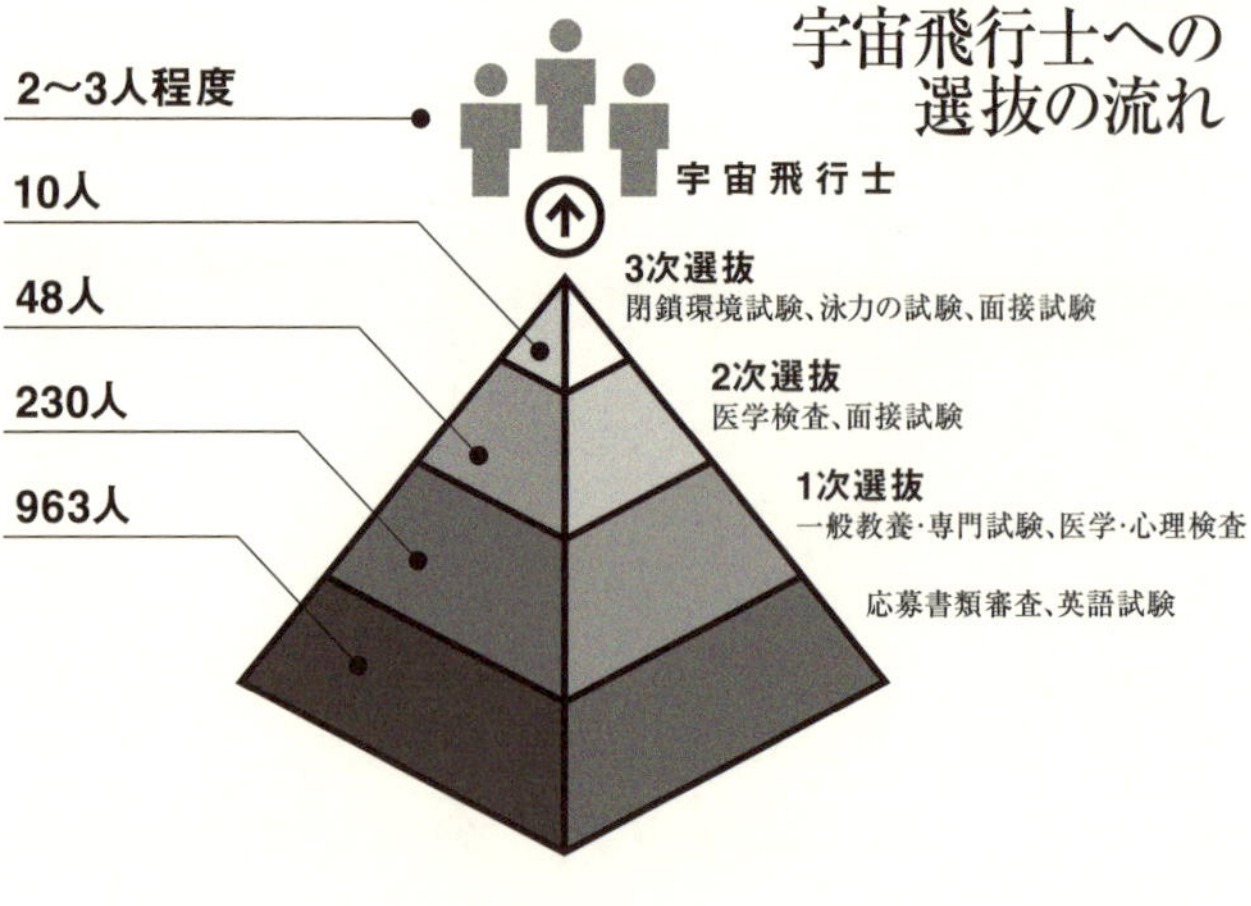

は、密閉された狭い空間だ。体調を崩しても医師に見てもらうことはできないし、嫌になったからといって逃げることもできない。心身ともに健康でなければ、宇宙では暮らせない。

また宇宙飛行士は、科学や工学の知識を備えていなければならない。日本を始め、世界の研究機関から依頼された宇宙科学実験を行うことも、重要な任務の一つであるからだ。人類の将来の宇宙進出を想定して、「宇宙で生物の細胞がどのように分裂・生長するのか」や、「タンパク質など薬の原料となる物質がどのような特性を示すのか」など、科学の様々な分野における最先端の実験を行わなければならない。このため、1次選抜試験では、数学・物理・化学・生物・地学の5科目試験を含め、一般教養や科学の専門知識の筆記テストも行われた。

その具体的な試験内容について、いくつか触れてみよう。

まずは、心理・精神面の適性検査。500程度の質問事項に、「Ｙｅｓ」もしくは「Ｎｏ」で回答する。質問は、「毎日の生活は充実しているほうだ」「体は人並みに健康である」「人づきあいは良いほうだ」といったありがちなものから、「私は神の使者である」「頭の中で人の声が聞こえる」「時々、悪霊にとりつかれる」などの突飛なものまで、多岐にわたっていた。

次いで5科目試験。たとえば数学では、「1から100までの整数のうち、3でも5でも11でも割り切れない整数の個数は?」「$x^2+y^2=1$と直線$x+2y=k$が交わっているとき、kの最大値は?」といった、中学入試から高校数Iレベルまでの問題が出された。また、地学では、「恒星の南中時刻は1日に何分早くなるか、遅くなるか?」「恒星との距離の測定方法で適切なものは何か?」などが問われた。

最後に、一般教養試験での問題をいくつか挙げると、「内閣不信任案が可決された場合、内閣は何をしなければならないか?」「2008年現在、65歳以上の高齢者の総人口に占める割合は15%以上か否か?」「次の絵画の作品と作者の組み合わせで正しいものを選べ」「日本三景を選べ」というように、政治、社会、地理、芸術など様々な分野から出題された。

こうした試験を経て、230人の応募者は48人まで絞り込まれた。厳しい訓練に耐えてきた自衛隊員や、世界で活躍する金融マン、イギリスの研究機関で働く女性研究者、さらには脳外科医など、あらゆる分野のプロフェッショナルたちが選ばれた。

10月。残った48人から、最終選抜試験に進む候補者の10人を選ぶ第2次選抜試験が、1週間をかけて行われた。

試験では、心身が健全であるかどうかがさらに細かく、そして徹底的に調べられた。人間ドックで定評のある都内の医療機関などに協力を仰ぎ、4日間かけて、まさに「頭のてっぺんから内臓、そして足の爪先まで」、体のあらゆる機能を調べつくすとともに、心理学者や精神科医による検査が行われる。

どんなに優秀な人間でも、20代後半から30代に入ると、体のどこにも問題がないという人はいない。しかし宇宙飛行士は、引退するまで、一定レベルの健康を維持しなければならない。今は健康でも、厳しい訓練を終えて実際に宇宙に滞在することになる5年、10年、20年先に病気になってしまえば、意味がないからだ。

これらの医学的な審査とともに、非常に重要なウェイトを占めるのが面接試験である。応募者たちは第2次選抜試験で初めて、ＪＡＸＡの審査委員たちと直接、顔を合わせた。

＊求められる「コミュニケーション能力」

茨城県つくば市にある、「筑波宇宙センター」。ＪＡＸＡの有人宇宙開発の総本山である。その中に設けられた面接会場。候補者を待ち受けていたのは、7人の「資質」審査委員たちだ。

資質審査委員は、応募者の医学分野以外の適性を審査する委員だ。委員長を務めるのは、ＪＡＸＡのプロジェクトマネージャー（当時）、長谷川義幸氏。日本が独自に開発し、国際

見つめる長谷川資質審査委員長

宇宙ステーションに取り付けた、宇宙実験施設「きぼう」の開発に、20年近く前から携わってきた。２００８年6月に「きぼう」の運用が始まってからは、現場責任者として指揮をとってきた。

長谷川氏は、有人宇宙開発に長年関わってきており、日本人宇宙飛行士だけでなく、ＮＡＳＡの宇宙飛行士や技術者たちとも親交が深い。彼らとの公私にわたる交流を通して、長谷川氏は、どのような資質を備えた人間が優れた宇宙飛行士になれるのか、いわゆる〝ライトスタッフ（正しい資質）〟の基準を自分なりに見《み》出《いだ》していた。

「毛利、向井、土井、若田、野口、そして星出《ほしで》と、この20年間、日本人が宇宙飛行を重ねてきました。さらに『きぼう』を通して、アメリカのＮＡＳＡやロシア、ヨーロッパ、カナダと、世界の宇宙機関とともに仕事をするようになりました。そうした経験から、どのような日本人が、〝優れた〟宇宙飛行士になれるのかが、やっとわかってきたのです。だから今回は、『答えがわかって』選抜ができる、最初の試験だといえます」

長谷川氏とともに面接に当たるのは、6人の資質審査委員たち。外部の有識者３人、ＪＡ

XAの部長クラス３人という構成だ。集められた有識者は、ヒューマンエラーなどの人間工学に詳しい、民間航空機の熟練パイロットや、宇宙を含めた様々な科学技術の分野を取材してきたベテランジャーナリストらだ。そしてJAXAの部長クラスは、宇宙科学実験の計画や選定を行っている責任者、それに日本人宇宙飛行士たちを管轄するセクションの部長など、選りすぐりの面子《メンツ》だ。

面接室に入室した受験者は、まず、審査委員が７人もいることに圧倒される。応募者を囲むように緩やかな扇形の配置で座っており、それぞれが複数の質問を用意している。ある審査委員の質問が終わると、次の審査委員が応募者に質問する。そしてすべての審査委員が質問を終えるまで、この形で面接が進む。一方、質問していない審査委員は、応募者の答え、しゃべり方、所作、目線やくせなどにも目を光らせる。

実は著者の１人である小原も、この面接を実際に受けさせてもらった。相当のプレッシャーを受け、平常心を保つのはなかなか難しいことを実感した。たとえば、緊張すると胸に手を当てるくせがあることがわかった。落ち着こうと意識するあまり、逆にくせや仕草が無意識に表に出て、それを審査委員に見抜かれたのである。当然、候補者たちは、これとは比べ物にならないほどのプレッシャーを感じていたはずだ。

しかし、面接で緊張し、自分らしさを発揮できないようであれば、「死」の危険と隣り合わせの宇宙では使い物にならない。

今回、私たちはＪＡＸＡと応募者たちの了解を得た上で、面接会場に遠隔操作のカメラを設置。面接の一部始終を取材・撮影した。

さすがに963人の中から選ばれた48人、平常心を保ちながら自分をアピールしようと奮闘していた。

ところが、答えに対するつっこみが厳しい。また、突拍子のない質問も多い。このため、審査委員の狙いを読み取り、彼らを満足させるような答えを返せる応募者は、意外に少なかったのである。

では一体、どのような質問がなされたのか？　実際に尋ねられた質問をいくつか紹介する。

質問例①　宇宙飛行士に、なぜなりたいのか？

宇宙飛行士という職業に、どれほど、強い思いを寄せているのか。それを測るために必ず尋ねられる、最もオーソドックスな質問である。

面接では、「子どもの頃からの憧れでした」という回答が多かった。これに対し、長谷川氏ら資質審査委員は「宇宙飛行士の何に憧れているのか?」「その宇宙飛行士になって、宇宙でやりたいことは何なのか?」と具体的に追及した。すると、意外と答えに窮したり、理屈が通っていなかったりする応募者が少なくなかった。「宇宙飛行士」という仕事がどういうものなのか、よくわかっていないことが原因だ。

宇宙飛行士とは一体、どのような職業なのか。具体的にはのちの章で説明していくが、１つ言えるのは、「憧れ」でやっていける仕事ではないということだ。この当たり前のことを、応募者はどこまで考え、どれだけの覚悟をしているのか。そしてもし宇宙飛行士になった場合、どのようなキャリアを思い描いているのか。長谷川氏ら審査委員は、応募者を質問攻めにして、彼らの〝本気度〟を推し量っていた。

一例をあげよう。ある研究職の候補者は、「研究者としてのバックグラウンドを生かして、画期的な科学実験を提案したい。そして実際に、自分の手で実験を行い、宇宙分野の可能性を示したい」と夢を語った。それに対し長谷川氏は、次のように尋ねた。

「宇宙飛行士は学者ではなく、技術者です。宇宙飛行士が、自ら提案した実験を宇宙でできると思っているようですが、宇宙飛行士なんて、つまるところ実験装置のボタンを押すことしかできないのです。ですから、あなたが生き甲斐としてきた論文などは、絶対に書けなくなると思った方がいい。宇宙飛行士になれば、研究は一切できなくなるし、あなたの功績を証明するような論文も、一切書けません。今まで培ってきたキャリアや価値観を捨てることになりますが、あなたは未練なくやっていけますか?」

宇宙飛行士を目指すのは、ただの憧れなのか、それとも自分なりに考え抜き、覚悟した上での応募なのか。答えに具体性、独自性がなかったり、論理が通っていなかったりすれば、資質や適性を審査する以前の問題と見なされる。

質問例② あなたは宴会の幹事をしたことがありますか?

仲間の意見を募り、それをまとめ上げる「リーダーシップ」と、人をもてなしたり、楽しませたりするための「コミュニケーション能力」を審査するための質問だ。就職したての社会人なら、先輩に「宴会の幹事ほど重要な仕事はない!」と口酸っぱく言われるものだが、これは宇宙でも同じである。

宴会の幹事は、基本的に「明るく」「楽天的な」性格でないとうまくこなせない。忘年会や新年会、歓送迎会など、重要な宴会になればなおさらだ。宇宙飛行士の場合、世界各国の仲間たちと半年間、宇宙で共同生活を送らなければならない。そうした中、暗くて人づきあいの悪い人間だと、周りも滅入ってしまい、チーム全体の士気やパフォーマンスにも影響が出てしまう。

宴会で求められるのは、新しいことを率先して計画する力と、周りを楽しませることを自らも楽しめるようなパーソナリティだ。そして、これらは、まさに宇宙飛行士にも不可欠な資質なのである。

以上のような質問はほんの一例で、面接は1人あたり40分行われた。

中でも長谷川氏ら審査委員は、「あなたが考えるリーダーシップとは何ですか?」「これまでの人生で危機的状況に直面したことはありますか? それをどう乗り越えたのですか?」といった、〝集団を統率する力〟、さらには〝危機に対応する力〟を問うことに、重きを置いていた。

そして、これらの資質がとりわけ重視されたのは、今回の試験が初めてだ。

その背景には、ＪＡＸＡの野心があった。

「国際宇宙ステーションのリーダー、〝船長〟になれるような人材がほしい」

今までのような優秀な研究者、優秀な技術者だけでは物足りない。世界を相手に、指導力を発揮できるような人材を求めていたのだ。

＊最初の宇宙飛行士は「研究者」だった

宇宙飛行士に求められる資質とは何か。まずは、これまで行われた選抜試験の狙いや背景から見ていこう。

ＪＡＸＡは、前身の「宇宙開発事業団（ＮＡＳＤＡ《ナスダ》）」時代を含め、過去4回、宇宙飛行士を募集している。前述のように初めての募集が行われたのは、今から25年前の１９８５年で、毛利さん、向井さん、土井さんのあわせて３人が、日本人として最初の〝職業宇宙飛行士〟に選ばれた。このときの採用で重要なテーマであったのが、「優秀な研究者の確保」である。当時、最も求められていたのは、宇宙で科学実験を確実に行える、「研究者」としてのバックグラウンドだった。

左から毛利衛さん、向井千秋さん、土井隆雄さん／毎日新聞社、アフロ提供

3人はNASAの訓練に参加し、最年長の毛利さんは、採用から7年経った1992年、スペースシャトル「エンデバー号」に乗り組み、日本人として初めてシャトルで宇宙飛行をする。その2年後の1994年には向井さんが、日本人初の女性宇宙飛行士として搭乗した。いずれの飛行も、日本が発案した宇宙実験を行うためで、まさに「研究者」としての宇宙飛行だった。

しかし土井さんは、毛利さん、向井さんのように「研究者」としての宇宙飛行ができなかった。1986年に起きた「チャレンジャー号」の爆発事故の影響で、「研究者」がスペースシャトルに搭乗する機会が減ってしまったためだ。土井さんがシャトルに乗り組むには、「ミッションスペシャリスト（運用搭乗技術者）」というNASAの資格を、新たに取得する必要があった。

「ミッションスペシャリスト」になれば、船外活動やロボットアームの操作といったシャトルの任務に直接かかわることができる。「技術者」としてシャトルの機能や装備を熟知し、自由自在に操作できなければならないが、新しい人工衛星を宇宙に投入するなど、宇宙実験以外の重要な任務も与えられる。

資格を取得した土井さんが、スペースシャトル「コロンビア号」に乗り組み、初めての宇宙飛行ができたのは1997年。採用から実に12年後のことだった。

若田光一さん／NASA提供

＊「宇宙飛行士＝技術者」の時代

2回目の募集は、1992年。このときの狙いは、「ミッションスペシャリスト」にふさわしい優秀な「技術者」を採用すること。当時、「国際宇宙ステーション」の建設に向けた準備が本格化していたこともあって、来たるべき建設の任務を確実にこなせるような技術者が第一に求められた。

そして採用されたのが、日本航空の整備士だった若田光一さん（当時28）だ。若田さんの技術者としての技量は高く、独学で磨いた英語力、そしてその温厚なキャラクターと相まって、採用後間もなくNASAに高く評価され、1996年に「エンデバー号」で初めての宇宙飛行を経験した。採用から4年での飛行は、日本人宇宙飛行士として最速だ。

若田さんはさらに2000年、2度目の宇宙飛行を経験した。このときは、「国際宇宙ステーション」の建設が任務で、ロボットアームを操作し、ステーションの骨組みをつくった。

そして、2009年3月からの3度目の宇宙飛行では、日本人として初めて「国際宇宙ステーション」に長期滞在した。4か月半におよぶ滞在で、自らを〝実験台〟にして、無重力状態や宇宙空間を飛び交う放射線が人体に与える影響を調べるなど、様々な科学実験も行った。

1996年から2009年までの間に、若田さんは合計3度の宇宙飛行を経験した。日本人として最多の宇宙飛行経験者で、滞在日数も合計159日に及ぶ。世界的に見てもトップレベルの経歴を持っており、JAXAでは4度目の宇宙飛行も検討されている、まさに日本の〝エース〟だ。

その若田さんの採用から4年後の1996年、3回目の募集が行われた。テーマは前回と同じ、「優秀なミッションスペシャリスト」の確保。そして、このとき採用されたのが、石川島播磨重工業の技術者だった野口聡一さんだ。

野口さんは、採用から7年後の2003年に初めて宇宙飛行をする予定だった。しかし、野口さんが乗り組む直前に打ち上げられたスペースシャトルの「コロンビア号」が、地球に帰還する途中で空中分解し、乗っていた宇宙飛行士7人が死亡する事故があった。その原因究明と再発防止のため、すべてのシャトルの打ち上げが2年間、凍結されてしまったのであ

野口聡一さん／NASA 提供

る。

野口さんが初めての宇宙飛行を果たしたのは、当初の予定より2年遅い２００５年。打ち上げが凍結されていたシャトルの〝復帰〟第一便という非常に重要なミッションを担う一員として、初の宇宙飛行を経験することになった。

その野口さんは、２００９年12月から２０１０年6月までのおよそ5か月半、日本人として最も長く宇宙に滞在した。

＊「宇宙飛行士＝宇宙長期滞在者」の時代へ

そして4回目の募集が行われたのが、１９９９年。このときのテーマは、「宇宙で3か月以上、長期滞在できる宇宙飛行士の採用」だった。

これは当時、１９９８年に始まった「国際宇宙ステーション」の建設が、順調に進むと見込まれていたためだ。

国際宇宙ステーションは、アメリカやロシアをはじめ、ヨーロッパ諸国、そして日本など、15の国が共同で建設・運用にあたっている国際共同プロジェクトだ。１９８５年に計画がス

国際宇宙ステーションと
日本の実験施設「きぼう」

タートし、13年後の１９９８年には、ステーションを構成する１つ目のパーツが打ち上げられた。全長110メートル、横幅73メートル、総質量420トン。サッカーのフィールド１つ分ほどあり、宇宙飛行士が普段着で活動できる居住空間は、ジャンボジェット機の客室ほどの広さがある。

この居住空間は、アメリカ、ロシア、ヨーロッパ、そして日本が、それぞれ開発した大きな空き缶のような円柱状の居住施設を、互いに繋ぎ合わせる形で構成されている。２０１０年５月現在、その90％以上が完成しており、６人の宇宙飛行士が24時間365日、滞在することができる。

しかし計画当初は、２００６年にすでに完成している予定だった。このため、４回目の採用

左から星出彰彦さん、山崎直子さん、古川聡さん
写真提供：KURITA KAKU／GAMMA／Eyedea Presse／アフロ

が行われた１９９９年時点では、日本人宇宙飛行士のステーションでの長期滞在もまもなく始まると見られていた。そうした情勢を見越して採用が行われたのだ。

　選考の結果、採用されたのは３人。ＪＡＸＡの前身「ＮＡＳＤＡ＝宇宙開発事業団」の職員だった星出彰彦《あきひこ》さんと、同じくＮＡＳＤＡ職員の山崎直子《やまざきなおこ》（旧姓・角野）さん、それに医師の古川聡《ふるかわさとし》さんだ。

　採用から９年後の２００８年６月、まずは星出さんがスペースシャトル「ディスカバリー号」に乗り組み、初めての宇宙飛行を経験した。星出さんは帰国子女で、英語でのコミュニケーション能力がＮＡＳＡに高く評価されていた。ロボットアームを操作し、日本が開発した宇宙実験施設「きぼう」を宇宙ステーションに取り付けるという大役を果たしている。一方、山崎さんは２０１０年４月、同じく「ディスカバリー号」に乗り組んだ。日本人女性としては２人目の宇宙飛行で、水や食料などの物資を宇宙ステーションに送り届けた。そして古川さんは、若田さん、野口さんに次いで３人目の日本人宇宙飛行士として、２０１１年、国際宇宙ステーションに長期滞在することが決まっている。古川さんにとっては、採用から12年目の初飛行となる。

＊なぜ新しい日本人宇宙飛行士が必要か？

過去４回の宇宙飛行士選抜試験で誕生した日本人宇宙飛行士は、あわせて８人。しかし、最初に選ばれた毛利さん、向井さん、土井さんの３人は、みな50代半ばを過ぎて事実上、引退している。

残った５人についても懸念はある。いつまで健康でいられるか、保証がないからである。

年齢という観点から５人をみると、若田さん、野口さん、古川さんはすでに40代。働き盛りだが、生活習慣病などのリスクが高まる年代でもあり、安心はできない。また訓練中、もしくは日頃の業務や私生活のなかで、事故に遭わないとも限らない。そうしたリスクも合わせて考えた場合、打ち上げが予定された宇宙飛行士には〝控え〟、すなわちバックアップ体制が必要になった。

もう1つの理由は、2008年以降、日本人宇宙飛行士の宇宙滞在の機会が、定期的に巡ってくるようになったからだ。

2008年6月、国際宇宙ステーションに、日本の宇宙実験施設「きぼう」が取り付けられ、本格的な運用が始まった。これを機に、日本人宇宙飛行士が宇宙ステーションに半年間、定期的に滞在できるようになった。

JAXAは、1999年に行った前回の採用から10年近く経ってようやく、新たな宇宙飛行士の採用が必要かどうかを検討しはじめた。その結果、現状の5人では足りず、2〜3名ほど補充する必要があるとの判断に至ったのだ。

日本人が、宇宙に定期的に「住む」時代の到来。そうした大きな転換点に、満を持して行われたのが、今回の宇宙飛行士の募集だった。

＊「船長」になれる逸材を探せ！

そしてJAXAは、今回の選抜試験にこれまでにない大きな意味を持たせていた。

資質審査委員長を務めたJAXAの長谷川氏は、次のように野心を語っていた。

「国際宇宙ステーションに、乗組員の1人として長期滞在するだけでは物足りない。〝船長〟

になって、他国の宇宙飛行士を率いることができるような優秀な人材を選び出したい」

世界のリーダーになれる人材の獲得。その目的を達成すべく、ＪＡＸＡは今回の試験を、これまでの採用試験の中で最も厳密なものにしようとしていた。

宇宙ステーションに滞在する宇宙飛行士の主な任務は、大きく分けて2つある。1つ目は、宇宙にしかない特殊な環境を利用した「宇宙科学実験」だ。ほぼ無重力状態の宇宙ステーションの中で、たとえば、2つの材料を混ぜ合わせて新たな材料を生成するとき、重力のある地上と異なる材料が生まれる可能性がある。その新たな材料をつくりだす実験や、将来の火星探査といった人類のさらなる宇宙進出に備えて、宇宙空間が生物にどのような影響を与えるのかを遺伝子レベルで調べる実験など、様々な研究を行わなければならない。これらの実験を、「オペレーター」として実施するのが、長期滞在している宇宙飛行士たち6人の仕事だ。

2つ目は、この宇宙ステーションそのものを建設し、維持、管理することだ。さらに故障やトラブルに対応し、修理するなど「整備士」としての役割も求められる。

国際宇宙ステーションとは、宇宙に浮かぶ大きな「船」だ。飛行機や艦船と同じように、指揮命令系統をはっきりさせる必要がある。したがって、リーダーとして全体の指揮を執る、

宇宙ステーション内のクルーたち

「Commander（コマンダー）＝船長」の責任は重大だ。

宇宙ステーションには、据え置きのテレビカメラが各所に備え付けられており、地上でも生で、宇宙飛行士たちの活動の様子を見ることができる。しかし画質はそれほど良くなく、またプライバシーなどの観点から、あらゆる場所にあるわけではない。

このため、宇宙飛行士同士の人間関係といった〝ソフト面〟をはじめ、機器の組み立てや点検などの〝ハード面〟の作業が滞《とどこお》りなく進んでいるのかなど、宇宙ステーションの中で起きていることすべては、地上では把握しきれない。たとえば宇宙飛行士の間で不平不満などが出ていないかは船長にしか把握できず、対応策は船長に委《ゆだ》ねられることになる。

また、壁1つ隔てた外界はほぼ真空で、マイナス100度以下の宇宙空間だ。気圧を調整するバルブを誤って壊したり、電気配線をショートさせて発火を引き起こすなど、1つのミスが、全員の命を危険にさらしてしまう。そうした非常事態のとき、的確なリーダーシップを発揮しなければならないのが船長だ。

部下でもある宇宙飛行士１人ひとりの心身に目を配るのも、船長の仕事だ。逃げ場のない閉じられた空間で、半年間、言語も文化も違う他国の人間同士が共同生活を送らなければならない。特殊な環境下での長期間の生活は、かなりのストレスが蓄積するが、それが個人の許容量を超えてしまい、人間関係や任務の遂行に支障を来せば、宇宙ステーション全体の運用にも影響が出かねない。全員が力を発揮し、任務を確実に遂行していくためにも、船長が中心となってステーション内の人間関係づくりに取り組まなければならないのだ。

すなわち船長には、自他ともに認める「力量」や「経験」はもちろん、何よりも「人望」が必要とされるのだ。

これまで船長は、最大の出資国であるアメリカとロシアから選ばれることが、当然のこととされてきた。しかし近年では、その前提が崩れつつある。日本の存在感が着実に増してきており、日本人でも船長になれる可能性が出てきたからだ。

日本の実験施設「きぼう」の完成はもちろんだが、２００９年９月、日本が開発した宇宙ステーション専用の無人宇宙輸送船「ＨＴＶ」の打ち上げが成功したことも、日本の存在感を大きく高める原動力になった。

ＨＴＶは、２０１０年にも引退するアメリカのスペースシャトルの代わりに、宇宙ステーションに水や食料、それに実験装置などの物資を届ける手段として期待されている。ロシアやヨーロッパの無人輸送船と共に、宇宙ステーションの運用を支える上で欠かせない輸送手段だ。

また、日本人として初めて宇宙に長期滞在した若田さんが、国際的に高い評価を得たことも、ＪＡＸＡが船長を現実的に意識するようになった大きな理由の１つだ。

若田さんは、ロボットアームの操作において、世界でも屈指の技量を持つと言われる。ＮＡＳＡを含めた他国の乗組員の指導教官を務めるほどの腕前だ。英語力を含めたコミュニケーション能力も高く、ＮＡＳＡの評価で最高ランクだ。

その若田さんは、２０１０年３月、ＮＡＳＡのすべての宇宙飛行士が所属する「宇宙飛行士室」の中にある、「国際宇宙ステーション運用部門」のリーダーに就任した。分刻みのスケジュールで組まれる乗組員たちの任務は、オーバーワークになりかねない。トラブルや事故を未然に防ぐためにも、任務遂行のスケジュールや、心身のサポート体制のあり方を十分に検討しなければならない。したがって、宇宙飛行士の代表者が、世界各国の宇宙機関と話し合い、調整する必要があるのだ。それを行うのが若田さんである。

日本人宇宙飛行士がNASAの重要なポストに就任するのは若田さんが初めてで、将来のリーダー、すなわち「船長」になることを見据えた人事であろうことは、容易に窺える。

「若田のような宇宙飛行士であれば、国際宇宙ステーションの船長を狙える」。確実な手ごたえが、JAXAにはあったのだ。

日本における10年ぶりの宇宙飛行士選抜試験。将来、「船長」となりうる最高の人材を発掘することこそ、今回の選抜でJAXAが掲げた最大のテーマだったのだ。

＊最終選抜に進んだ10人

今回の選抜試験に話を戻す。2次選抜を受けた48人の中から、最終選抜に進む候補者を決定する審査が11月に行われた。審査は、3つの委員会で実施された。

まず、医学検査の結果から、健康な人を選ぶ「医学審査委員会」。重箱の隅をつつくような、極めて詳細な検査が行われた。対象となるのは身体だけではない。心理的・精神的に、閉鎖環境や集団生活に耐えられるのかなど、精神面も重要な条件として審査された。そして問題の見つかった候補者は、どんなに優秀な能力があっても不合格になった。

医学審査委員会と並行して行われた「資質審査委員会」は、長谷川氏を委員長に、宇宙飛行士の向井さんなど有人宇宙開発の専門家たちが、候補者たちの〝宇宙飛行士としての資質〟を審査する。2次選抜では、面接、ディベート、英語での面接がそれぞれ行われた。

この2つの委員会で審査した結果を、総合評価するのが「宇宙飛行士審査委員会」である。JAXAの林幸秀副理事長（当時）を委員長に、宇宙飛行士の毛利さん、宇宙での生物実験の第一人者、宇宙医学が専門の医師、ジャーナリスト、航空機のベテランパイロット、人間工学の専門家といった20人の有識者が、どの受験者を最終選抜に残すのかを議論した。

各受験者はそれぞれの試験項目で、A、Bプラス、B、Bマイナス、C、といった段階制の評価が与えられていた。これらはすべて点数に換算され、総合得点の高い順から48人の順位付けがなされた。しかし1つでもCがあった場合、「不適格」と判断される。すなわち、最終候補者に選ばれるためには、Cが1つたりともあってはならないのである。

医学審査はさらに厳しい。たとえCがなくても、BマイナスやBを取った受験者でさえ、健康面のリスクを一層細かく見られることになった。何年先まで健康でいられるのか、将来的に治療で治るものなのか、加齢とともにリスクは増さないのかといった審査基準に則《のっと》って、最終候補者にふさわしいかどうかが判断されたのである。

しかし第2次選抜では、総合得点が近接した受験者が多数いた。このため審査は難航。資質審査委員からは様々な意見が出され、議論が白熱した。

「この応募者は確かに英語の点数は高いが、要点をまとめて発言する力が少し足りないのでは。宇宙飛行士になりたいという強い意志も足りないと感じた」

「科学者だから、専門的な分野には精通していてもすでに成長しきっていて、これから伸びる余地はないと感じた」

「せっかくチームワークの大切さについては十分理解できているのに、しゃべり方が聞きとりづらく、明るさがない。何よりも〝華〟がない。これでは宇宙飛行士になっても、マスコミ対応ができないのではないか」

なかなか点数化できない要素も、数多く議題に上がった。白熱した議論を経て、再び応募者にA、Bプラス、B、Bマイナス……といった評価がつけられていった。

そして、２００８年12月。最終候補者が決まった。

選ばれたのは10人。パイロットや科学者、技術者など、錚々《そうそう》たる経歴の持ち主たちだ（カッコ内は試験当時の年齢）。

青井考《あおいのり》（39）　理化学研究所　研究員

選ばれた最終候補者 10 人

油《ゆ》井《い》亀《き》美《み》也《や》（38）　航空自衛隊　パイロット
国《くに》松《まつ》大《だい》介《すけ》（37）　沖電気工業　経営企画部
江《え》澤《ざわ》佐《さ》知《ち》子《こ》（35）　産婦人科医
白《しら》壁《かべ》弘《ひろ》次《つぐ》（34）　エアーニッポン　機長
大《だい》作《さく》毅《たけし》（33）　海上保安庁　パイロット
大《おお》西《にし》卓《たく》哉《や》（32）　全日本空輸　副操縦士
内《うち》山《やま》崇《たかし》（32）　ＪＡＸＡ　地上管制官
金《かな》井《い》宣《のり》茂《しげ》（31）　海上自衛隊　外科医
安《やす》竹《たけ》洋《よう》平《へい》（30）　アドバンスド・キャパシタ・テクノロジーズ開発部

なお本書では、最終選抜まで残った10人と、963人の応募者をわかりやすく区別するため、「最終候補者」、もしくは短く「候補者」と呼ぶことにしたい。

最終候補者の選考が終わった、東京・丸の内にあるＪＡＸＡの会議室。私たちの姿を見かけた長谷川氏は、満面の笑みをたたえながら、こう語った。
「いい顔ぶれでしょう。可能なら、全員選びたいぐらい。これこそ嬉しい悲鳴ってやつですね」

＊最多はパイロット４人

今回の特徴は、パイロットが４人もいることだ。前回、10年前の最終候補者の職業は、医師３人、科学者２人、技術者３人（うちＪＡＸＡ２人）というように、研究者や技術者が選考される傾向が依然として強かった。

パイロットには技術への深い理解と、危機的な状況であっても平常心を維持し、乗組員を引っ張るリーダーシップが日頃から求められている。国際宇宙ステーションの船長を誕生させたいという悲願が、結果としてパイロットを多く残すことにつながった。

そのうちの１人である航空自衛隊の油井亀美也は、長野県の山村、人口４５００人の川上村で生まれ育った。小さい頃から星空を見上げて育った油井は、いつしか宇宙に強くあこがれるようになった。小学校の卒業文集に、宇宙飛行士を目指す原点があった。

油井亀美也

『今、ぼくにはいろいろわからない事があったり、不思議に思うことがたくさんあります。……だれも知らなかったことなどを自分の力で発見したいと思います』

地元の高校を卒業したあと、防衛大学校に進み、卒業後は航空自衛隊へ。宇宙に少しでも近づきたいとパイロットの道を選び、F15戦闘機のチームのリーダーまで務めた。

3人の子供の父親でもある油井。「給食も2～3時間かけて食べるのんびりした子だった。でも、そんな『亀』のような子でも、努力次第で夢に近づけるんだと子どもたちに伝えたい」と、自らの少年時代を振り返る。

「『スター・ウォーズ』などのSF映画が大好きで、子供のころから宇宙への憧れを抱いていた」と話したのは、全日本空輸（ANA）で副操縦士を務めてきた大西卓哉だ。

神奈川県にある私立の中学、高校を卒業したあと、東京大学へ。航空宇宙工学を専攻した。在学中のサークル活動で打ち込んできたのが、学生たちが手作りの飛行機で飛距離を競う

『鳥人間コンテスト』。空への憧れから始めたが、身長178センチのスラリとした体格は、〝鳥人間〟のパイロットとしては大き過ぎた。軽量コックピット作りの担当として、懸命に〝他人〟を飛ばすことに情熱を傾けたが、心はどこか満たされなかった。

「やっぱり自分が空を飛んで、空から地上の眺めを楽しみたかった」

卒業後、大西が選んだのは民間のパイロットの道だった。ボーイング767型機の副操縦士として、国際線で活躍。「冷静すぎて怖い」と言われるほどの冷静沈着ぶりで、機長をサポートしてきた。そして、就職から10年目に訪れた、宇宙飛行士募集のチャンス。収入が大きく減り、積み上げてきたキャリアを捨てることになるにもかかわらず、大西は迷うことなく応募した。

大西卓哉

「32歳という心・技・体ともに充実した時期に、宇宙飛行士の試験を受けられることは絶好のチャンス」。大西は冷静に分析しながらも、笑顔で語った。

この2人のほかに、弱冠33歳で機長になった、大西と同じ

ＡＮＡグループのパイロット白壁弘次（34）と、海上保安庁のパイロットで、災害時の救援活動で内閣総理大臣表彰を受けた大作毅（33）も最終候補者に名を連ねた。

宇宙飛行士になりたいという思いは一様に深い。４人のパイロットは、「空」で培った力を、「宙《そら》」への夢に向けてどのように発揮するのか？

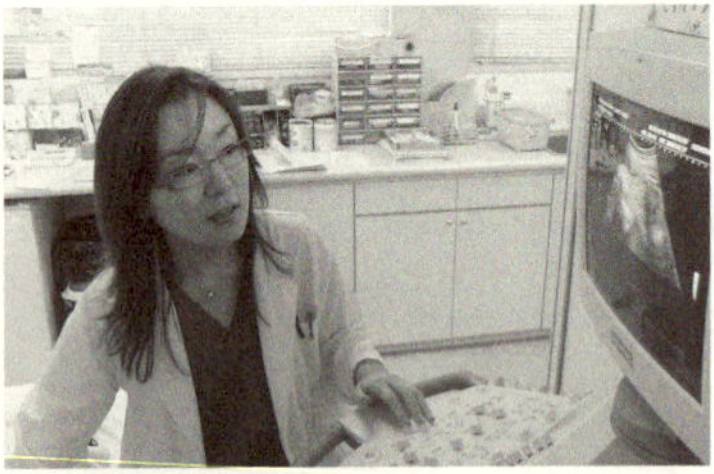

診察にあたる江澤佐知子

＊女医含む２人の医師

医師も２人、残った。

１人目は、唯一の女性候補者である江澤佐知子（35）だ。産婦人科医の父親を見て育った江澤は、自らも産婦人科医となり、卵巣癌治療の研究で博士号を持つ。

「子供の頃はメーテルになりたかった！」

アニメ「銀河鉄道９９９」で、主人公の星野鉄郎と一緒に宇宙を旅する謎の美女・メーテルに憧れ、江澤は宇宙を夢見た。しかし実際には、その夢は心の奥底にしまいこんでいた。

そして大人になった今、医師として病に苦しむ多くの患者と向き合い、彼らのために何ができるのかを考え続けてきた。

患者の苦しみは、体の痛みだけではない。「将来に希望を持てない」という、心の痛みこそ深刻なのではないだろうか。しかし、医師としてその苦しみを和らげることのできる患者の数は限られている。もっと別の方法で、より多くの患者に元気を与えたい。多忙な江澤が、模索する中で見つけたものが、「宇宙飛行士募集」のニュースだった。

「これしかない！　と思いました。医師である私が宇宙から元気な姿を見せれば、世界中の病に苦しむ人々に、希望を与えられるはず。私は宇宙で希望の光を放つ〝太陽〟になりたい」

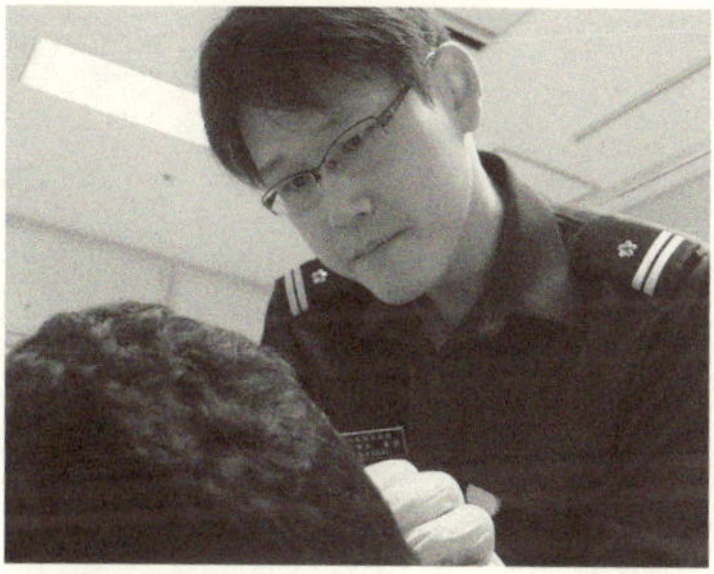
金井宣茂

もう１人は、海上自衛隊に所属する外科医の金井宣茂（31）だ。「潜水医学」が専門で、潜水艦という、閉鎖された狭い空間で活動する自衛隊員の心身のケアをはじめ、深海の高水圧の環境が人体に及ぼす影響など、潜水に関わる様々な医学研究を行っている。海上自衛隊では欠かせない研究分野だ。

金井は子供の頃から、海深くへ潜ったり、空高く飛んだりするような冒険家に憧れていた。その金井の転機となったのは、２００５年、アメリカにある潜水医学の研究機関に留学したときだ。留学先の建物の廊下に飾られていた写真を見て、金井は驚いた。写っていたのは、この研究機関出身の医師で宇宙飛行士になった人たちだった。

「潜水医学の研究者でも宇宙に行けるのだ！ と感激しました。冒険家になりたいというかつての夢が、今からでもかなえられることを知り、チャンスを待ち続けました。宇宙では、自分の体を実験台にしてどのような変化が起きるのか、医師として確かめたい」

冷静沈着、物静かで学者のような雰囲気の金井。その眼鏡の奥の瞳は、遠く宇宙を見つめていた。

＊最年長の世界的研究者

青井考（39）は、最終候補者10人の中で最年長。独立行政法人・理化学研究所に勤める研究者で、「原子」の成り立ちや仕組みを研究する物理学者だ。

青井は前回、１９９９年に行われた宇宙飛行士の募集にも応募した。しかし書類選考で不合格に。次の機会が必ず訪れると信じて、この10年間、世界的な業績を重ねた上での再挑戦となった。

私立麻布高校から東京大学に進み、２００３年、今の職場の研究員に選ばれた。「加速器」と呼ばれる最先端の実験装置で、宇宙誕生の謎に迫ろうとしている。海外の科学者と共同で研究する機会が多く、多国籍の科学者たちからなる国際共同研究チームを、リーダーとしてまとめ上げてきた。その確かな言動と真摯《しんし》な姿勢が、審査委員たちから高い評価を受けた〝いぶし銀〟だ。

青井は幼い頃、誕生日にはおもちゃよりも、天体望遠鏡や顕微鏡を欲しがる子だったという。その青井は今でも、忙しい日々の合間を縫って時折、夜空を見上げる。

「昔、毛利宇宙飛行士の〝宇宙授業〟をテレビで見たときの驚きが、今でも忘れられない。私も宇宙で科学実験をして、地球で見つめる子供たちに科学の面白さを伝えたいと思っています」

青井考

＊最年少のサラリーマン

技術系のサラリーマンも３人いた。

1人目は、最年少の30歳、安竹洋平。従業員わずか16人のベンチャー企業「アドバンスド・キャパシタ・テクノロジーズ」に勤めるサラリーマンだ。

安竹は「キャパシタ」と呼ばれる、次世代の電池の開発に取り組んでいる。子供の頃は宇宙が大好きで、特にスペースシャトルに憧れていた。NASAに就職したくて、アメリカへの留学を強く希望していたが、高校2年の時、父親が事業に失敗。以来、学費も生活費も、すべてアルバイトで捻出し

安竹洋平

てきた。苦学して東京工業大学の大学院を卒業した後は、大手電機メーカー・ソニーに就職。しかし、希望の研究職にはつけなかったという。

「自分のやりたい仕事はそこになかった。そこで以前から興味を持っていた、キャパシタの研究開発ができる今の職場に迷うことなく転職しました。やりたいことに挑戦しないと後悔しますから」

新しい職場で安竹は、プロジェクトのリーダーに抜擢される。そして、キャパシタの新しい製造技術の開発に成功した。その直後に目にしたのが、『宇宙飛行士募集』のニュースだ

った。子供の頃から憧れていた夢。その夢に実際に挑戦できるということに、安竹は興奮した。「挑戦しないことで後悔したくない」。この固い信念が彼を動かした。

２００８年の暮れに行われた、会社の忘年会。この席で初めて安竹は、同僚に宇宙飛行士の選抜試験で最終候補者として残っていることを伝えた。すると、同僚の全員が驚きながらも祝福。彼にエールを送った。

「本当は彼に抜けられるのは痛い……けれど、こんな小さな会社から、人類を代表する宇宙飛行士が生まれるのであれば、それ以上幸せなことはない。安竹は我々サラリーマンの希望の星です」

国松大介（37）は、長年、沖電気工業で半導体の開発に携わってきた技術者だ。入社5年目となる２００２年には、「経営にも精通したい」とアメリカ・ミシガン大学に留学。経営学修士＝ＭＢＡを取得した。

しかし、沖電気工業の半導体事業は、思うように伸びなかった。そして２００７年、事業ごと売却されることとなった。国松は畑違いの経営企画部へ異動。しかし、多くの同僚は会社を去った。

「うちに限らず、日本の開発現場は皆、苦しいと思います。そうした状況に加え、科学技術立国を標榜する日本にとって、現代の子どもたちの理科離れはとても深刻です」

そう語る国松が、大切にしているものがある。小学校3年生の時、父親に買ってもらった星座盤だ。紙でできている星座盤は、使い過ぎてボロボロになっているが、国松は今も大切に保管している。科学に興味を持ち始めるようになった、原点だからだ。

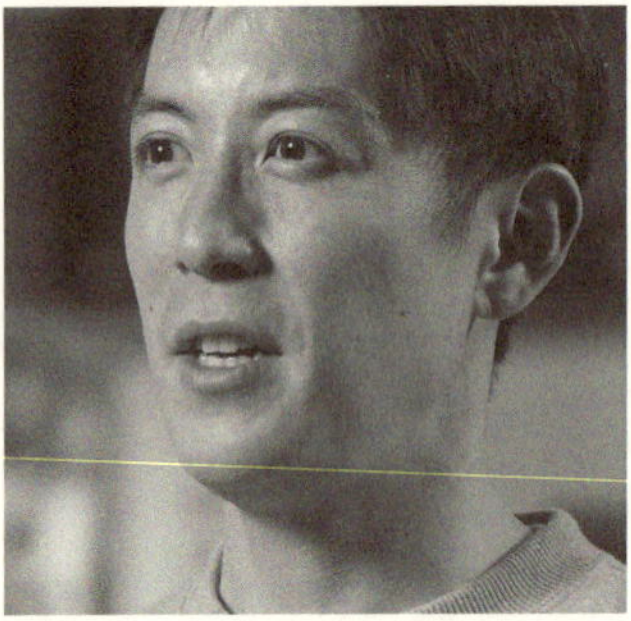
国松大介

「幼いころの夢は、生きる原動力になります。宇宙飛行士になって、子どもたちに宇宙の不思議や魅力を紹介し、科学することの面白さを伝えたい。その子どもたちが、将来の日本の技術を支えてくれるはずです」

自身も娘2人の父親である国松。日本の未来のために、宇宙飛行士を目指す。

JAXA職員から最終候補者として唯一残ったのが、内山崇（32）だ。東京大学・航空宇宙工学科の大学院を卒業後、大手メーカー、石川島播磨重工業に入社。日本の無人宇宙輸送船「ＨＴＶ」の開発に携わってきた。国際宇宙ステーションに物資を運ぶ使命を担う「ＨＴＶ」。その開発で、内山はなくてはならない存在になった。

内山は、幼い頃から宇宙飛行士に憧れ続けてきた。原点は、スペースシャトル「チャレンジャー号」の事故だ。その後、原因が究明され、改良が加えられた上で、スペースシャトルの打ち上げが続けられたことに感銘を受けた。

２００８年、内山はＪＡＸＡに転職。実績を買われ、「ＨＴＶ」を地上から遠隔操作する「管制チーム」のリーダー、「フライトディレクター」に最年少で選ばれた。しかし宇宙飛行士の夢は諦めていなかった。今回の募集に、内山は躊躇《ちゅうちょ》することなく応募した。

内山崇

「宇宙飛行士は、地上にいる大勢の技術者たちの支援があるからこそ成り立つ仕事です。支える立場を知っている自分だからこそ、宇宙飛行士としてできることがある」

応募総数963人。それぞれに歩んできた人生と、何歳になっても諦めきれない宇宙への夢があった。そして、わずか数席しかない宇宙飛行士の座をめぐって、選びぬかれた10人が2週間に及ぶ「最終選抜試験」に挑む。

そこで合否を分かつもの。それは、天才的な頭脳や、常人離れした運動能力ではなかった。宇宙という、逃げ場のない特殊な環境にも耐えうる強い精神力。国籍を超えて、誰からも慕われ、信頼される〝人としての魅力〟。候補者たちが、それぞれの人生を通して培ってきたいわば〝人間力〟が、徹底的に試されたのだった。

第2章　〝極限のストレス〟に耐える力

＊「宇宙＝死の世界」と壁1枚の空間に生きる

２００９年1月11日の朝は、清々《すがすが》しい晴天に恵まれた。茨城県つくば市にあるＪＡＸＡ《ジャクサ》の「筑波宇宙センター」に、最終候補者10人が集まってきた。冬の寒空の下、軽快な足取りでやってきた候補者たち。その手には、大きな旅行用のトランクがあった。

最終選抜試験は2週間の長丁場。皆、職場から長期休暇をもらって、試験に挑む。この間、自宅には帰れない。

試験は大きく2部に分けられる。前半の9日間は「筑波宇宙センター」で、後半の1週間はアメリカ・テキサス州にあるＮＡＳＡ《ナサ》＝アメリカ航空宇宙局で行われる。

このとき私たちは、筑波宇宙センターの玄関で彼らを待ち構えていた。到着した候補者たちは皆、こちらに笑顔を向けてくれた。期待と緊張、そして少しばかりの不安が入り交じっているように見えた。

「最終選抜にどんな気持ちで臨むんですか？」

私たちが問いかけると、10人は余裕を見せながら一様にこう応えた。

「自然体で行きますよ！」

最終選抜試験で何が行われるのか。試験の詳しい内容については明らかにされていない。ただ、1999年に行われた前回の試験については、最終選抜に残った受験者が実体験を綴《つづ》った著作がある。こうした入手可能な情報については、どんなに小さなものでも、2次選抜通過後の10人は収集に余念がなかった。

しかし、そうした間に合わせの努力だけではどうにもならないことも、当然彼らは承知している。この最終選抜試験は、己れの「人間力」を見る試験であり、これまでどんな人生を歩み、どのように自らを磨いてきたのかが、審査対象であるからだ。

10人が集められた控え室。適度な緊張感が漂う。直接会うのが初めての候補者たちは、名刺交換とともに自己紹介を行った。

全員が揃ったところで、JAXAの担当者が告げた。

「皆さんにはこれから1週間、閉鎖環境施設に入っていただき、共同生活を送っていただきます」

その「閉鎖環境施設」とは、いったいどのような施設なのか？

正式には「閉鎖環境適応訓練設備」と呼ばれ、国際宇宙ステーションの特殊な環境を地上に再現した施設である。

まずは外観から見てみよう。直径およそ4メートル、長さ11メートルの巨大なカプセルのような施設が2つ、平行に並んでいる。その2つを細い通路がつないでおり、上から見ると、施設全体はコの字形をしている。

閉鎖環境施設外観

候補者が出入りできる入り口は1つしかない。しかもその扉は、まるで銀行の巨大な金庫の扉のように分厚い。車輪の形をしたハンドルを、ぐるぐる回して開け閉めをする仕組みで、外界と完全に隔離することができる。

この閉鎖環境施設、そもそもは宇宙飛行士を訓練する目的でつくられたものだ。

国際宇宙ステーションは、プライバシーがほとんどない空間である。科学実験やステーションの保守・管理はもちろん、掃除、食事、余暇などあらゆる場面で、他の宇宙飛行士と顔を合わせることになる。

公用語は英語とロシア語であり、滞在する宇宙飛行士は、使用する言語で任務に支障が出ないよう、冗談を言えるくらいになるまで語学訓練をしている。さらに、宇宙でともに過ごすことになるメンバーが決まると、宇宙飛行の2年前から、共同生活を送ることになっている。〝気心の知れた〟状態で宇宙に行くためだ。

しかし、文化や習慣、それに価値観の差は、完全には埋められないものだ。どれほど仲の良い、気心の知れた関係であっても、長い間、朝、昼、晩と一緒に生活していると、普段は気にならないようなクセや言動が気になるようになってくる。食べ方や仕草、話し方など実に他愛のないことが見過ごせなくなり、ストレスの原因に変わる。忙しかったり、疲れていたりして心に余裕がなくなるとなおさらである。同じ日本人でもそうなのだから、国籍や文化も違う者同士だと、軋轢《あつれき》は一層大きくなる。

さらに宇宙特有のストレスもある。そのうち2つを挙げてみよう。

1 騒音

完全な密閉空間である国際宇宙ステーションは、様々な「音」がこもってしまう。宇宙ステーションの中では、多くの装置が絶えず動いている。空気を循環させる換気扇、実験装置の駆動音、冷却水を回すポンプ。こうした装置が出す音はすべて、ステーション内に充満する。これら一つ一つの音が重なり合ってまさに「騒音」となり、乗組員にストレスを与えるのである。実際、過去に国際宇宙ステーションに滞在した宇宙飛行士の中には、騒音で耳をやられ、難聴になった人もいるという。このため、日頃から耳栓をつけて作業に当たっている宇宙飛行士もいたほどだ。

2 臭い

「音」と同様に「臭い」も、そのまま滞留する。いわゆる体臭や汗、それに洗面所の臭いである。ちなみに、国際宇宙ステーションにはシャワーなどの入浴設備がない。専用のウェットタオルで体を拭くなどしかできない。つまり長期滞在の宇宙飛行士は、6か月間、風呂に入れないのだ。どんなに清潔に保とうとしても、体臭や汗の臭いが出てくるのは当然のことで、関係者によると宇宙ステーションの中は、体臭、汗、機械の臭いなどが混ぜ合わさり、独特な臭いが充満しているという。

もちろん、スペースシャトルも例外ではない。あるNASAの関係者は、「スペースシャトルの中の臭いはもの凄い」と話す。シャトルが地球に帰還したとき、地上の整備担当者たちがシャトルのハッチ（出入り口の扉）を開けるが、そのとき漂ってくる臭いは、鼻が曲がるほどだという。

しかし、何よりも忘れてはならないのが、国際宇宙ステーションの壁を一枚隔てた外は、空気もない「死」の世界だということだ。

ストレスが原因でミスや事故が起きれば、任務をこなすことが困難になったり、最悪の場合、乗組員全員の生死や健康に影響したりすることもあり得る。旧ソ連が１９８６年から２００１年まで運用していた別の宇宙ステーション「ミール」では、長期滞在に耐えられず、同僚の乗組員と不仲になり、うつ病になってしまった宇宙飛行士もいた。

つまり、単なる「我慢」では乗り越えられないストレスフルな生活であり、それに打ち克《か》つためには、「強い精神力」と、長期間の共同生活への「適応力」が必要不可欠なのである。

その「適応力」を鍛えようとつくられたのが、この閉鎖環境施設だ。地上に宇宙ステーションを模した環境を作り、その中で訓練して長期滞在に備えさせるのが目的であった。

この閉鎖施設をＪＡＸＡは、最終選抜試験に使った。１週間、10人をこの中に〝閉じ込め〟、その言葉や行動をつぶさに観察することで、誰が宇宙での長期滞在に耐えることができるのか、その適性を見極めようとしたのである。

＊再現された〝宇宙の〟ストレス環境

1月12日午後8時、10人が施設の中へと入って行った。携帯電話や個人用のパソコンなど、施設の外とやり取りできるような通信機器の持ち込みは一切許されない。全員の入室が終わると、分厚い扉が大きな音と共に閉められた。閉鎖試験が終了する1週間後まで、外には一切出られない。いよいよ最終選抜試験が始まった。

ここで、閉鎖環境施設の中の構造を見てみよう。

まず入り口を入ると、広さ40平方メートル弱の長方形の部屋がある。「実験エリア」と呼ばれるこの空間には、長い机が2つ並べられており、その上で作業ができるようになっている。また、試験で使うためのパソコンが人数分、用意されている。

部屋の奥のスペースは「高照度照明エリア」と呼ばれ、昼間のような明るい光を浴びることができる。施設には当然、太陽光が一切入らないため、候補者たちは昼と夜の区別をつかみにくい。そこで、このエリアで人工の光を浴び、体内のリズムを整えることができるよう

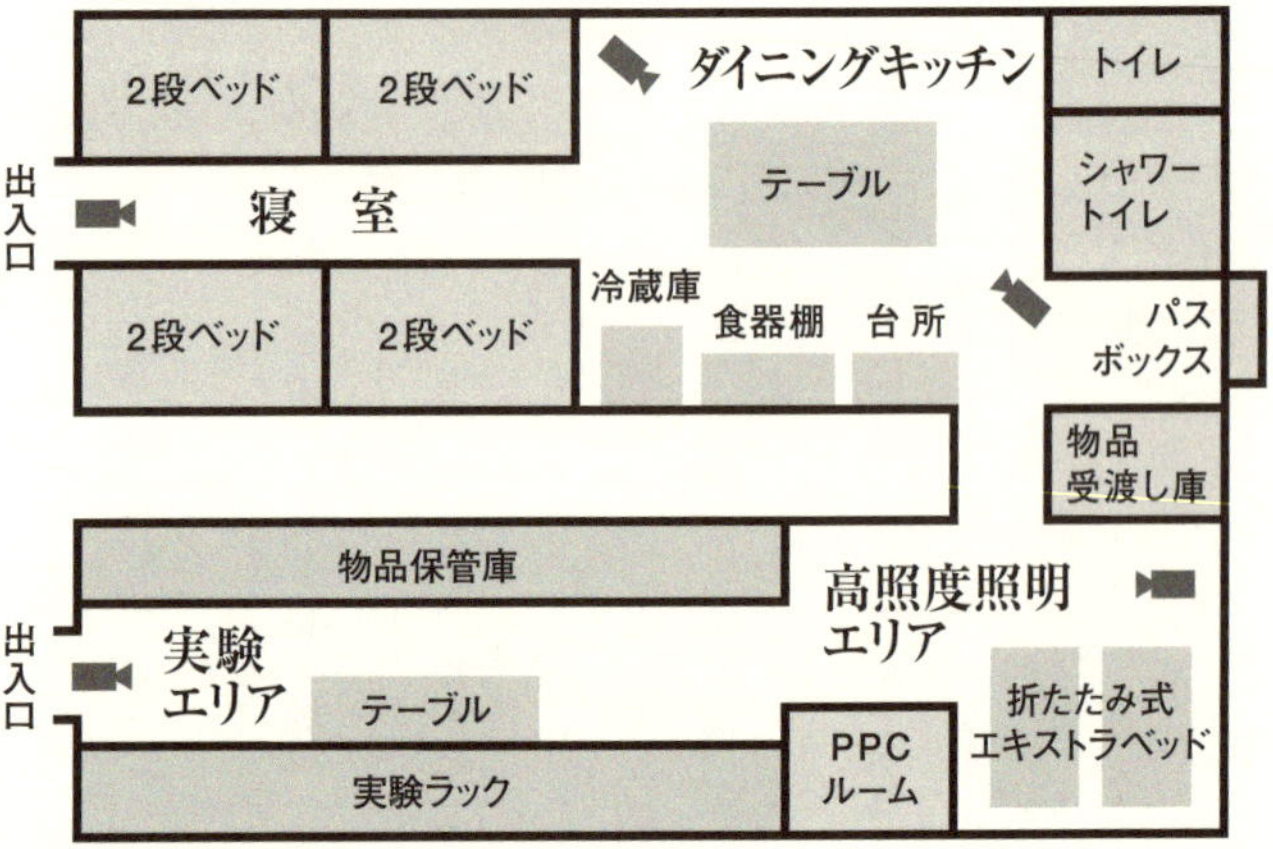

閉鎖環境適応訓練設備

になっている。

ちなみに国際宇宙ステーションは、わずか90分で地球を一周してしまう。地球の「昼側」と「夜側」を、45分ずつで交互に通過していく計算だ。このため、乗組員は世界標準時（グリニッジ標準時）を基準に一日を過ごし、昼夜の感覚を維持しようとしている。

しかし今回の選抜試験では、高照度照明エリアは別の目的に使われた。すなわち、候補者2人分の寝床である。

閉鎖環境施設は定員8人で設計されている。このためベッドは8つしかない。今回は10人の候補者がおり、2人分の寝床を新たに確保する必要があったのだ。2台のエキストラベッドが、このエリアに置かれた。

実験エリアと高照度照明エリアのあいだには、電話ボックスのような、候補者が1人しか入れない小さな個室がある。ここにはテレビ電話が設置されており、精神科医や心理学者と通話ができるようになっている。今回の試験の場合、2日に1回の頻度で、候補者1人ひとりの精神・心理を見るための面談（PPC）が行われた。発言や態度などから、心身に変化が起きていないかどうかが細かくチェックされた。

面談用の個室の反対側には、平行して隣接する、もう1つの施設との連絡通路がある。通路を抜けると、同じく40平方メートルほどの空間がある。この空間は、「ダイニングキッチン」と、「寝室」に分けられる。

ダイニングキッチンには、台所や冷蔵庫のほか、大きなテーブルが置かれている。椅子も10人分が用意され、試験で出される課題を行うときをはじめ、食事などほとんどの時間をここで過ごすことになる。なお、ダイニングキッチンの一方の壁の一角には個室が設けられ、中にはシャワー、トイレ、洗面台が一体になった小さなユニットバスが備え付けられている。宇宙ステーションにもダイニングキッチンがあり、トイレとの位置関係は、閉鎖環境施設とほぼ同じだ。

ダイニングキッチンのもう一方の壁は「寝室」につながっており、カプセルホテルにあるような2段式の個室型ベッドが4つ、あわせて8人分並ぶ。ベッドの入り口にはカーテンがあり、閉めれば1人になれる。候補者が1人になれるのは、このほかはユニットバスだけだ。ちなみに宇宙ステーションにも、寝室としての「個室」がある。電話ボックスよりもやや小さい縦長の空間で、扉もついている。宇宙飛行士1人につき1つが備えられており、この中に寝袋を入れ、立ったままのような姿勢で寝る。時間があれば、本を読んだり、音楽を聴いたりすることができ、閉鎖環境施設のベッドと同様、唯一のプライベート空間と言える。

施設の延べ床面積は、80平方メートルあまり。マンションで言えば、わずか4DKの空間だ。ここに10人が押し込まれ、1週間、共同生活を送らなければならない。シャワーがあることを除けば、国際宇宙ステーションの主要な居住空間とほぼ似たような構造だ。

1か所だけ、閉鎖環境施設の中と外をつなぐ小さな搬入口があり、食事はここから運び入れられる。搬入口は「パスボックス」と呼ばれ、2重扉になっている。2つの扉の間の空間に物品を置き、片方の扉を閉めたままもう片方を開けることによって、中と外で接触せずに、物品のやりとりができる仕組みだ。

そして施設内の天井には、5つの監視用テレビカメラが設置されている。実験エリアに1つ、高照度照明エリアに1つ、ダイニングキッチンに2つ、そして寝室に1つ。このほかにも、集音マイクが各所に備え付けられ、ユニットバスとベッドの中を除き、候補者たちの会話や行動、しぐさに至るまでの一挙手一投足が、24時間監視できるようになっている。テレビカメラが至るところに設置されているのは、国際宇宙ステーションと同じ環境だ。

＊一体何を〝監視〟しているのか

審査委員たちは、この施設を使った試験を通して、何を見ようとしていたのか。端的に言えば、極限のストレスに耐えられるかどうかだ。

候補者たちは、「閉鎖環境」という、地上での日常生活ではめったに体験することのできない、ストレス要因が数多く設定された環境下に置かれている。

外とは隔離された、閉じられた狭い空間で、出身や専門性、それに年齢も違う9人の「他人」との1週間に及ぶ集団生活。さらに24時間、監視下にあり、言動のすべてが評価の対象になり得るという現実。夢にまでみた宇宙飛行士の試験で最終選抜まで残り、合格は目前であるという大きな期待に伴うプレッシャーも相まって、個人差があるとはいえ、候補者たちには相当なストレスがかかっている。

さらに、候補者たちは自らの職場に、宇宙飛行士の試験を受けていることを明かしている。

試験に参加するには、職場の了解を得ていることが必須の条件だからだ。

実際、宇宙飛行士を管轄する部門のトップであるＪＡＸＡの柳川孝二氏が、10人の候補者それぞれの職場に出向き、直属の上司に挨拶している。最終試験では候補者を２週間にわたって拘束し、職場を長期間休んでもらわなければならないことに加え、合格した場合には現在の仕事を辞め、ＪＡＸＡに転職してもらう必要があるからだ。

そして、最終候補の10人となれば、周囲はいやが上にも期待し、あっという間に職場で噂になる。受かったときは良いが、落ちたときのことも考えなければならない。そうした状況もまた、候補者にとってはストレスとなる。

つまり閉鎖環境試験は、様々なストレス要因を積み重ねることで、候補者を「極限のストレス環境」下に置こうとしているのである。

＊閉鎖環境で迎える初めての朝

「おはようございます！」

１月13日早朝、閉鎖環境２日目。試験の現場責任者である柳川氏が、私たちＮＨＫクルーを１つの部屋に案内してくれた。閉鎖環境施設がある建物「宇宙飛行士養成棟」の２階、通称「管制室」と呼ばれる部屋である。

閉鎖環境施設を、ガラス越しに見下ろすことができるこの部屋は、今回の試験の審査のメイン会場だ。セキュリティカードを通してロックを解除すると、大小20以上のモニターがずらっと並んだ、まさに「管制室」と呼ぶにふさわしい空間が現れた。それぞれのモニターには、閉鎖環境施設内に設置された5台のカメラの映像が、リアルタイムで映し出され、録画されている。候補者たちの声も、同じく施設内に取り付けられた集音マイクで録音しており、スピーカーを通じて室内に響いていた。

候補者を見守る管制室

時間が経つにつれ、審査委員が1人、また1人と管制室に入ってくる。コートを脱ぐと、審査委員らはモニターの前に座る。筆記用具と審査用紙を手に取り、モニター越しに候補者たちの言葉や行動を細かく採点し始めた。

審査委員は、第2次選抜試験に引き続き、錚々《そうそう》たるメンバーだ。その中には、宇宙飛行士の向井千秋さんもいた。そのほか、精神医学、心理学、航空医学、パイロット、人間工学など、様々な分野の第一人者たちが、候補者に鋭い目を向ける。

今回私たちは、審査委員たちとともに管制室に入り、試験の一部始終を撮影した。一般企業の就職試験と同じく、宇宙飛行士の選抜試験も原則非公開である。しかし、ＪＡＸＡとの長い交渉の結果、私たちはマスコミとして初めて取材・撮影を許され、その審査にも立ち会えることになった。

閉鎖環境で初めて迎える朝。候補者たちは午前6時に起床した。「おはよう」と挨拶を交わし、狭いダイニングキッチン内で互いに場所を譲り合いながら歯を磨きはじめた。まさに共同生活が始まったと、実感させられる光景だ。

全員の支度が整うと、候補者たちはあらかじめ求められた体温の測定や、自分の体調を記録する問診票の記入に取りかかった。彼らが記入した用紙は、パスボックスを通して審査委員たちに提出された。

リラックスした雰囲気の候補者たち。笑顔で会話を交わすなど、まるでサークルの合宿のように、和やかなムードだ。

それもそのはず、候補者たちは、自分たちの言動のすべてが審査の対象となっていることを知っているからだ。

「減点につながるようなことは絶対にしない」。和やかさとは逆に、そうした候補者たちそれぞれの〝緊張感〟と、互いの微妙な〝距離感〟が、モニターの映像からはひしひしと伝わってきた。

＊日常生活も審査対象

一見、試験とはまったく関係ないように思える食事や睡眠も、重要な審査の対象となっていた。

宇宙飛行士と言えば宇宙食だが、試験では普通の食事が振る舞われた。食べ終わると、10人にはAからJまでの記号がつけられた、プラスチック製の容器が配られた。候補者はそれぞれ指定された容器に、食べ終えた食器を入れなければならない。容器はパスボックスを通して外に出され、カメラで撮影・記録される。

この写真を見て審査委員は、「食欲に変化がないか？」「食べ方が汚くなっているが、周りへの配慮が疎《おろそ》かになっていないか？」というように、候補者たちの精神・心理状態をモニタリングするのである。

睡眠も同じように観察された。候補者たちは、「アクチグラフ」という睡眠の質を測ることができる、小型の計測器をつけて寝るよう指示されていた。アクチグラフは、腕時計のように手首に巻き付けることができ、その中には高感度の加速度計と記憶装置が内蔵されている。熟睡している人の体は、眠っている間はほとんど動かず、動いたとしても覚醒している人のそれと見分けることができる。このことに着目し、体の動きから、その候補者が良く寝ることができているのかを探るのが狙いだ。

閉鎖環境は、本人が気づかないレベルで、心身の体調変化を引き起こす。食事と睡眠は、その変化を見る上で、極めて有効な観察対象だ。ストレスで疲弊していれば、食欲が減退したり、逆に過食になったりする可能性がある。また、緊張していたり、神経が高ぶったりしていた場合、思ったよりも眠れていないこともある。

＊宇宙飛行士にとっての本当のストレス

しかし、本当のストレス要因は、試験のスケジュールそのものにあった。

起床、食事、就寝の時間はもちろんのこと、審査の対象となる「課題」をやる時刻とそれにかける時間まで、あらゆるスケジュールが15分単位で決められていた。

審査委員たちは、そのスケジュールの流れを図で表したタイムラインを作っていた。

タイムラインは、国際宇宙ステーションでよく使われる言葉だ。宇宙飛行士の1日の予定は、分単位で決められている。地上の管制官たちは、宇宙飛行士それぞれに専用のタイムラインを作り、通信衛星を経由して国際宇宙ステーションに送る。受け取った宇宙飛行士たちは、このタイムラインをもとに任務をこなしながら生活する。

しかし、今回の試験の場合は、候補者たちにはタイムラインの内容が明らかにされていない。いつ、何をやるかは、管制室からその都度、スピーカーを通して伝えられる仕組みになっている。このため候補者は、先を見通すことができない状況に置かれているのだ。

ここで、閉鎖環境試験の２日目を追ってみよう。

朝６時に起床。６時45分から体温測定、問診票記入。７時30分朝食。８時30分から第１の課題、「ボードゲームの制作」。10時から第２の課題、「ディベート」。12時に昼食を挟み、13時から第３の課題、「グループディスカッション」。15時に第４の課題、「ＦＣＣ」。19時30分、夕食。20時30分以降は、コンピューターを使った「疲労度を測るための検査」や、筆記式の「心理テスト」、日記の記入、掃除など１日を締めくくる課題や作業が多く用意されている。そして、24時に就寝。

また、夜22時までは休憩はなく、次から次へと課題をこなすことが求められる。そして課題の内容は、そのときにならないと知らされない。候補者たちはこの生活をおよそ１週間続

集団課題　個人課題　心理テスト・食事等

14:00–15:00	15:00–16:00	16:00–19:00	19:00–19:30	19:30–20:00	20:00–20:30	20:30–23:30	23:30–24:00
					入室	心理テスト・疲労度テスト 日記記入・清掃・シャワー等	就寝
FCC Flying Car Company				夕食		心理テスト・疲労度テスト 日記記入・清掃・シャワー等	就寝
	千羽鶴作成	ロボット製作	夕食		心理テスト・疲労度テスト 日記記入・清掃・シャワー等		就寝
	千羽鶴作成	ロボット製作	夕食		心理テスト・疲労度テスト 日記記入・清掃・シャワー等		就寝
	千羽鶴作成	ロボット製作	夕食		心理テスト・疲労度テスト 日記記入・清掃・シャワー等		就寝
	千羽鶴作成	ロボット製作＋プレゼン	夕食		心理テスト・疲労度テスト 日記記入・清掃・シャワー等		就寝
集団面接 (14:00–14:30)							

け、20以上の課題に取り組むことになる。すなわち、候補者たちを〝多忙〟にして、一層のストレスをかける仕組みだ。

審査委員でJAXAの長谷川氏は、次のように話す。

「本当は2か月、3か月かけて誰が宇宙飛行士に適任かを見極めたいところ。そのぐらいの時間をかけてみないと、本当は分からないのかもしれません。でもそれは不可能ですから、とにかく閉鎖環境でいろいろな課題を与え、できるかぎりのストレスをかける。1週間はもしかしたら、なんとか耐

閉鎖環境試験スケジュール表

	6:00	6:30–7:30	8:00	8:30–9:30	10:00–11:30	12:00	13:00–14:00
閉鎖1日目 1月12日（月）							
閉鎖2日目 1月13日（火）	起床	身繕い・体温測定・問診票等	朝食	ボードゲーム作成	ディベート	昼食	グループディスカッション
閉鎖3日目 1月14日（水）	起床	身繕い・体温測定・問診票等	朝食	小論文／ボードゲーム作成	ボードゲーム作成	昼食	昼食のトラブル
閉鎖4日目 1月15日（木）	起床	身繕い・体温測定・問診票等	朝食	ディベート	ディベート	昼食	自己アピール
閉鎖5日目 1月16日（金）	起床	身繕い・体温測定・問診票等	朝食	ボードゲーム作成	ボードゲーム作成	昼食	グループディスカッション
閉鎖6日目 1月17日（土）	起床	身繕い・体温測定・問診票等	朝食	ディベート	ディベート	昼食	自己アピール
閉鎖7日目 1月18日（日）	起床	身繕い・体温測定・問診票等	朝食	グループディスカッション	レポート・片づけ	昼食	退室／問診

えられる期間かもしれない。しかしそれぞれの課題のなかで、自分の力を発揮してアピールしなければ、10人の中から抜きん出ることはできません。そして力を発揮するには、自分の本性をさらけ出さないといけない。そこで初めて、宇宙飛行士としての適性が見えてくるはずです」

実際の宇宙ステーションでの任務も多忙だ。２００９年3月から7月まで、日本人として初めて宇宙に長期滞在した若田《わかた》さんも、最初の１か月間はほとんど休みなく任務に追われた。若田さんは、地球に帰還した直後の私たちとのインタビューで、次のように話していた。

「宇宙での生活というのは、やっぱりきついですよ。実験とか、整備の仕事とかいろいろあるうえに、日課がものすごく厳しく決まっている。1つの仕事に時間をかけすぎれば、他の仕事にも影響が及んでしまうようなタイトスケジュールなのです。

そして外は、10億分の1気圧、ほとんど真空に近い状態で、放射線が飛び交っていたり、温度も寒暖の差が200度以上になったりするという厳しい環境です。空気のバルブを動かす手順1つにしても、間違えると本当に真空状態にむき出しでさらされてしまう。運用上のミスが、致命的なミスになる可能性があるのです。日本人として初めて長期滞在した自分にとって一番恐ろしいことは、やはり〝失敗〟でした。失敗は許されないということです。そのプレッシャーに耐えながら、任務をこなさなければならないのです」

宇宙飛行士にとって「過酷」なのは、宇宙という環境だけではない。日本の代表として、国民の税金で宇宙に行く。だからこそ失敗は許されない。それも、無難にこなすだけでは不十分だ。国際宇宙ステーション計画に参加する、世界15か国の目もあるからだ。自分の力を発揮して存在感を示さない限り、日本の存在感そのものにも関わる。つまり、宇宙飛行士自身が、衆人環視の中で、絶えず試験を受けているようなものなのだ。

今回の閉鎖環境下での試験は、宇宙ステーションの乗組員が背負うプレッシャーを最大限、再現しようとしていたのである。

＊〝リーダーシップ〟と〝フォロワーシップ〟

閉鎖環境での審査のポイントは、ストレスに耐えられるかどうかだ。しかし、ＪＡＸＡが本当に見たかったものは、さらにその先にあった。

ストレス環境下であっても、チームワークを発揮できるかどうか。団体行動における、候補者それぞれの力を見たかったのだ。

ＪＡＸＡはこれを、〝リーダーシップ＝leadership〟と〝フォロワーシップ＝followership〟と呼び、今回の試験で最も重要な採用基準としていた。

〝リーダーシップ〟は指導力。そして〝フォロワーシップ〟は、リーダーに従い、支援する力を指す。

ＪＡＸＡは、国際宇宙ステーションの「船長」たり得る候補者を求めていた。そして船長になるには、「ストレスに耐える力」はもちろん、抜きん出たリーダーシップとフォロワーシップを発揮できる人材であることが絶対条件だと捉えていた。

その理由を、審査委員の柳川氏が、次のように説明する。

「リーダーである船長は、事前に決められていません。しかし、宇宙でのすべての活動を、船長がコントロールするわけではありません。任務ごとに、リーダーは替わるからです。つまりある時はリーダーだけれども、ある時はフォロワーにならなければならない。役割分担をしっかり認識して、臨機応変に行動できることが、宇宙飛行士にとって大切な資質なのです」

そして、ＪＡＸＡは評価のポイントを以下の５つに定めた。

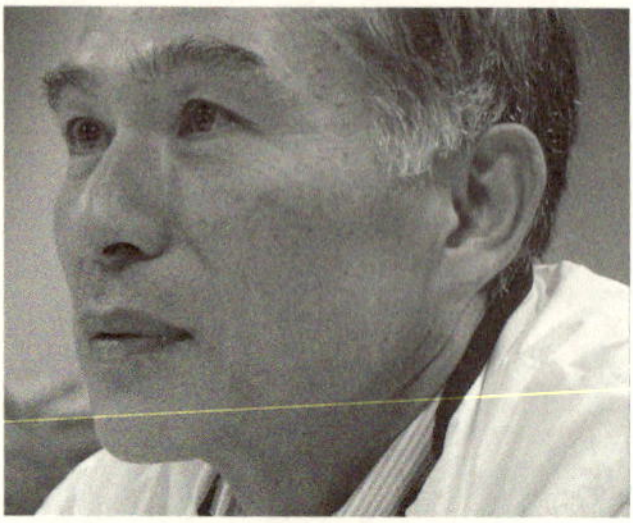

候補者を見つめる柳川部長

①　時間内に決められた作業を、きちんと達成できるように、集団をコントロールできるか。

②　チーム内に意見の対立があっても、それをまとめて、課題を遂行できるか。

③　チームに目標を示し、それに向かって作業を進めることができるか。

④　リーダーからの指示を正確に実行できるか。

⑤　必要な場合、リーダーに対して適切に意見を述べることができるか。

極限のストレス環境下でも、チームの置かれている状況を的確に把握し、場面に応じて、リーダーシップやフォロワーシップを発揮できるかを、JAXAは見極めようとしていたのであった。

＊10人の協力なしでは解決できない課題

しかし候補者たちは、閉鎖環境に慣れることがなかなかできなかったようだ。ストレス要因にあふれた独特な環境に〝呑まれ〟、普段とは違う行動に出たり、ペースを乱されたりした候補者もいたことが、試験2日目の午後に行われた「フライング・カー・コーポレーション」（=略してFCC）という課題で明らかになった。

FCCとは、新入社員研修など、企業の人材育成のために開発されたプログラムである。チームの総合力で課題解決を図るゲーム形式の体験学習で、個人がチーム活動の中で発揮する、「他人と協力して物事に取り組む能力」を評価できるようになっている。

FCCは、ある架空の設定に基づいている。

「時は2030年、空飛ぶ車（フライング・カー）が登場し、新たな自動車市場が生まれた」

候補者たちはこの設定に基づき、新たに会社（コーポレーション）を設立し、顧客が求めるフライング・カーを製造するという課題を与えられる。〝自社の製品を市場に送り出す〟という共通目標に向かって、10人は力を合わせなければならない。

このFCCの最大の特徴は、10人が力を合わせないと、課題そのものを正しく理解できないように設計されている点である。

課題に関する情報は10個、すなわち10人分に〝細切れ〟にされ、それぞれの候補者に与えられる。その中には、課題と関係のない余計な情報も含まれており、他の候補者の情報と比較しないと、区別ができない。このため、積極的に情報交換をしなければならないが、候補者は自分が持つ情報を書き出したりして他の候補者に〝見せ〟てはならず、口頭でしか伝えることが許されない。

すなわちFCCをクリアするためには、前述のJAXAの評価ポイントである①時間内に決められた作業をきちんと達成できるように集団をコントロールする〝リーダーシップ〟と、④リーダーからの指示を正確に実行し、⑤必要な場合は、リーダーに対して適切に意見を述べる〝フォロワーシップ〟の両方が、効果的に発揮される必要がある。

このため、10人が課題をクリアできなかった場合、誰か1人が〝悪い〟ということにはならない。たとえリーダーに問題があっても、周りが適切なフォロワーシップを発揮すれば乗り越えられるはずである。逆もまた然《しか》りだ。つまり、チームにとってマイナスの行動をする候補者も問題だが、一方で「他人がミスをすれば自分が有利になる」と考えて放置した候補者も問題となる。

これがＦＣＣという課題の狙いだ。その狙いが理解できていれば、特に難しい課題ではない。というのも候補者たちは、パイロット、外科医、自衛隊幹部など、高いレベルのリーダーシップとフォロワーシップが求められる職場にいるからだ。

しかし、閉鎖環境という日常からかけ離れた特殊な空間が、候補者たちの調子を狂わせていた。

＊〝会社設立趣意書〟を作れ

「これから４時間半をかけて、みなさんに集団課題を行っていただきます」

閉鎖環境２日目、午後３時。審査側のアナウンスとともにＦＣＣが始まった。

管制室には、閉鎖環境施設の中と通話できるマイクがある。マイクの前に座った審査員は、候補者たちを映し出す５つのモニター画面を観察しながら、指示を１つひとつ出していく。

これから何を行うのか、候補者たちは事前に一切知らされていない。指示の1つひとつを確実に聞き取り、理解する必要がある。

「FCCに必要な道具類は、パスボックスにあります。取り出すときは指示しますので、従ってください」

閉鎖環境施設は外界と隔離されている。しかし、先に述べたように1か所だけ、外と物品のやりとりができる「パスボックス」がある。管制室から送られてきた箱を開けると、中にはアルファベットの「A」から「J」までの10文字が、大きく印字されたゼッケンがあった。管制室からの指示で、10人はそれぞれ、指定されたゼッケンを身につけた。

FCCに取り組む10人

候補者がゼッケンをつけるのは、審査側が容易に識別できるようにするためだ。以降、候補者たちはすべての課題を、ゼッケンをつけて行うことになる。

FCC前半の課題は、「新たに設立する会社の〃設立趣意書〃を作成し、審査側に申請した上で会社設立の許可を得ること」であった。

10人にはそれぞれ、自分のゼッケンと同じ文字が表記された封筒が渡された。開封するとその中には、設立する会社に関する情報が書かれていたが、封筒ごとに内容は異なっていた。

ある候補者に与えられた情報は、次の通り。

「競合他社のＡ社とＢ社の売上高には、500億円の差があります。Ｂ社の資本金は500億円です。各会社の社屋は、それぞれ違う形です。申請は、会社設立趣意書を所定用紙の入っていた封筒⑤に入れて、代表者がパスボックスに入れることです」

一方、別の候補者に渡されたのは、

「資本金500億円の会社の社屋は、都市中心部の高いビルです。この業界に属する５つの会社の従業員数は、それぞれ違います。あなた方の会社の売上高目標を、売上高が業界３位の会社と同額に設定しなさい」

というものだった。

全員の情報がわからないと、正確な設立趣意書は作れない。与えられた時間は25分。書かれた情報を見せたり、書き出したりすることは許されない。コミュニケーションの手段は口頭だけだ。

早速、両チームで趣意書作りが始まった。まず、10人の手のうちにある雑多な情報を、短時間で交通整理する必要があった。

そのとき、1人の候補者の発言が、審査委員たちの注目を集めた。

「設立趣意書に必要な情報は、資本金や規模、売上目標などの6項目だけで十分だ。他の情報は捨てていこう。最小限でまとめていこう」

ゼッケンF、エアーニッポンのパイロット、白壁《しらかべ》弘次《ひろつぐ》だった。

*キムタクが〝目指した〟男

長崎県に生まれた白壁は、地元の中学校を卒業した後、県立の佐世保西高校に入学。そして大阪大学の基礎工学部に進み、1997年、ANAグループのエアーニッポン株式会社(ANK)に、パイロットとして就職した。

白壁が宇宙飛行士を目指すようになったのは、子どもの頃、「宇宙戦艦ヤマト」を見たことがきっかけだった。しかし、成長するにしたがって、宇宙飛行士は「雲を掴《つか》むような夢」だと考えるようになり、別の目標を探すようになった。

そうしたなか、生まれて初めて乗った飛行機の記憶が蘇《よみがえ》った。幼い頃に家族旅行で乗ったYS-11。悪天候のために凄まじい揺れに見舞われた。しかし、そんな状態にあっても、冷静に操縦するパイロットの姿を見て、子供心にもいたく感動したことを中学生になった白壁は思い出した。そして、白壁は宇宙飛行士の夢を心の奥底にしまいこみ、「第2の目標」として飛行機のパイロットを目指すようになった。

パイロット姿の白壁

大学3年の時には、航空大学校を受験。しかし、医学検査で不合格だった。その後も2度、受けたが、やはり医学検査で不合格。さらに大学4年の時に、JALのパイロット試験も受けるが、これも医学検査で落ちた。

理由は、鼻中隔湾曲症という鼻の中のゆがみにあった。気圧が変化すると鼻から出血を起こしやすいため、パイロットには不適格と判断されたのだ。

しかし、白壁はあきらめなかった。就職せずに大学院に進み、いわゆる仮面浪人をしながら、パイロットを目指し続けた。そして鼻を手術することを決意。医師に「そこまでするのか」と言われたが、手術を受け、ついに合格にこぎ着けた。

白壁は２００８年の２月、33歳の若さで機長に昇進。100以上の試験を乗り越え、ようやく掴んだポジションである。今はボーイング７３７-５００型機に乗り組み、乗客200人の命を預かる身として、日本各地を飛び回っている。

そんな白壁の機長への挑戦は、２００３年に放送された、キムタクこと木村拓哉主演のＴＢＳドラマ「ＧＯＯＤ ＬＵＣＫ!」でも参考にされたという。キムタクが演じた〝新海元〟なる副機長は、白壁がモデルの一人になっているという。

白壁が、自分の中に宇宙飛行士への強い思いがあることを再び意識したのは、２００６年にＪＡＸＡの種子島宇宙センター上空を飛行しているときだった。

「種子島の上空で、フライト中にＨ２Ａロケットの打ち上げを見たんです。地球の重力を振り払って宇宙へと舞い上がっていくロケットを目《ま》の当たりにして、その圧倒的な力に感動した。そして、やっぱり自分は宇宙に行きたいんだと、子どもの頃の夢を思い出したんです」

白壁は、妻の礼子さんと長女の３人家族だ。礼子さんは元客室乗務員で、３年間の交際を経て、２００１年に結婚。神奈川県の閑静な住宅街に、自宅を購入して暮らしている。

礼子さんは、白壁の今回の応募について、積極的に応援してきた。10年前に出会ったころから、「宇宙飛行士になりたい」と話していたからだ。

しかし宇宙飛行士になるには、今の仕事を辞めなければならない。また、宇宙飛行士の主な仕事とは、来たるべき宇宙飛行に向けて、ＮＡＳＡで訓練することだ。ＪＡＸＡの職員に転職した上で、ＮＡＳＡがあるアメリカ・ヒューストンに移り住まなければならない。

宇宙飛行士とはいえ、ＪＡＸＡの一職員だ。格別な待遇があるわけではない。旅客機の機長である白壁の収入と比較すれば、収入は半分以下だろう。したがって、もし選ばれることになれば、白壁だけでなく礼子さんや娘の生活も一変する。さらに、自宅も手放さなければならなくなる。

「今の生活の方が良いのでは？」

妻の礼子さんに、私たちがそう尋ねたところ、次のように答えた。

「夫は常に、お客様を乗せて飛行しています。１つ間違えれば、人様を巻き添えにしてしまう可能性がいつもあり、大きな責任を背負わなければなりません。しかし宇宙飛行士であれば、夫の命だけを心配すれば済むので、今よりも気が楽になるかもしれません」

礼子さんの言葉を裏付けるように、白壁には、他の候補者とは異なる重い責任感が漂っていた。彼が機長を務めるＢ７３７－５００は、200人以上の乗客が搭乗できる。乗客の命を預かる立場であるがゆえの〝覚悟〟の重さが、白壁からはにじみ出ていた。

その白壁にとって、リーダーシップとフォロワーシップは、日々、実践していることだった。それだけに白壁の考え方は、審査委員に高く評価されていた。特に2次面接のときの白壁の答えは、審査委員たちを唸《うな》らせた。

「あるグループの中でリーダーシップをとる人間は、自ら名乗り出るというよりも、立場や人間性で、ある程度自然に決まるものだと思います。リーダーには牽引力が必要ですが、フォロワーに対する配慮が最も大事だと思います。逆にフォロワーは、リーダーの後ろをただついていくだけではダメです。助言をしなければいけないときにしっかり助言ができる。それが真のフォロワーだと思います。私が副操縦士だったときのことですが、リーダーである機長の発言の中で、あれ、おかしいな、と思うことがときどきありました。そのとき、やんわりとお伺いを立てるというところから、主張へと段階的に入っていくのですが、最後は『違いますよね?』とはっきり言えなかったばかりに、燃料が足りなくなって別の空港に降りなければならなくなるなど、失敗した事例をたくさん経験しました。今は機長として、副機長をはじめとしたフォロワーが、私に意見しやすい環境をつくろうと心がけています」

その白壁がＦＣＣで、「趣意書に必要な情報は、6項目で十分。最小限でまとめていこう」

と、課題の本質を捉えた発言をしたのである。

モニター越しに観察していた、ある審査委員が呟《つぶや》いた。

「彼は前半の課題解決に重要な役割を演じていますね。評価できる」

ＦＣＣ前半の課題は無事クリア。審査委員たちは、チームに貢献した白壁を評価した。

＊チームワークを熟知した白壁でも……

後半の課題に移ったＦＣＣ。審査委員は、候補者に対し、まずは10人の中から1人、リーダーを選ぶよう求めた。その上で、残りの9人は「設計」チーム、「製造」チーム、「品質管理」チームの3つに分かれ、レゴのようなプラスチック製のブロックで〝空飛ぶ車〟を10台作るよう求めた。

候補者が作るべき〝空飛ぶ車〟の完成見本は、審査委員があらかじめ作っている。基本的には、その見本と同じように作れば良い。

しかしこの課題を難しくしているのは、それぞれのチームが、空飛ぶ車作りで〝できること〟と〝できないこと〟を細かく指示されている点だ。

たとえば、

1　「設計」チームは、設計図を書くために〝見本〟を見ることができるが、〝見本〟に触ったり、分解したりしてはならない。

2　「製造」チームは、設計チームが書いた設計図に基づいて必要な部品を発注し、実際に組み立てるが、〝見本〟を見ることはできない。

3　「品質管理」チームは、製造チームが作った車と〝見本〟が同じであるかどうかを確認できるが、自分たちが作った車を分解したり、組み立て直したりしてはならない。

といった指示だ。

こうした指示は、A4用紙4枚分ほどある。3つのチームは、それぞれがやるべきことをしっかりと把握した上で、互いのチームと連絡を密に取り、作業に当たらなければならない。しかし製作のためにかけられる時間は、1台当たり9分と短い。各チームは、それぞれの業務で手が一杯になる。

このためリーダーは、3チームそれぞれの作業を俯瞰し、10台のノルマを制限時間内に達成できるのか、できないとすれば作業の何を変えるべきなのかを判断し、指示を出すなどして、軌道修正をしていかなければならない。

その意味で、この課題におけるリーダーの荷は重い。しかし目立つことはできる。

誰がリーダーをやるのか。遠慮し合っているのか、それとも様子を見ているのか、候補者たちはしばらく沈黙していた。

そのとき、

「じゃあ、俺がやろうかな」

白壁が、おずおずと申し出たのだ。

「おー」と、他の候補者たちが、感嘆の声を上げる。当然ながら、誰も異論はない。リーダーが決まると、３つのチーム分けもおのずと決まっていった。

しかし、白壁が自らリーダーに立候補したのは、私たちにとって意外だった。白壁は面接で、「リーダーは自然に決まるもの」と話していたからだ。

白壁はこのときのことを、次のように説明した。

「あれは完全に空回りでした。普段の自分ではなくなっていました。自分からリーダーとして名乗り出るのではなくて、チームの中で、たまたまその状況やタイミングでリーダーになれるという、その柔軟さが自分の能力だったはずなのですが。他の候補者たちの能力が、あまりにも凄いと感じて焦りもあったんです。もやもやした気持ちのまま、手を上げてしまいました」

「空回り」と自らを評した白壁。実際、FCC後半の課題はうまくいかなかった。10台どころか、1台を見本通りに作ることにほとんどの時間を費やし、指示を誤解したまま作業を進めていたことを見逃すなど、リーダーとして十分に機能することができなかった。

白壁は続ける。

「リーダーとして、メンバーどうしを上手く横に繋げていくことができなかったのです」

白壁の自己分析と同様に、審査委員たちが下した評価も良くはなかった。しかしより注目すべきは、他の候補者たちの評価も総じて高くなかったことだ。チーム全体のパフォーマンスが悪く、リーダーシップとフォロワーシップを誰も十分に発揮できていなかったと、判定されたのである。

10年以上のパイロット経験を持ち、機長としての大きな責任を背負ってきた白壁。その白壁でも、普段の自分ではなくなり、力を発揮できないような状況があった。そして、同様のことが、残りの9人にも当てはまった。

FCC、そして白壁を通して見えてきたのは、閉鎖環境で試験を受けることの〝本当の難しさ〟だ。課題が並外れて難しいのではない。「極限のストレス環境」で課題をやるからこそ、難しいのだ。

プライバシーはない。職業や年齢、バックグラウンドも異なる競争相手といきなり共同生活をし、落ち着く間もなく試験を受けなければならない。そうした特殊な環境の中でも浮き足立たず、平常心のままで課題に取り組み、自らの実力を普段通りに発揮できるかどうかが試験の合否を握っていた。

そして自らの精神状態が普段と異なっているときは、それを自分自身で把握して、自ら修正できなければ、勝機は決して見えてこない。

そのような孤立無援の状況に、候補者たちは置かれていたのである。

＊ゼッケンIが2人いる!?

閉鎖環境に〝呑まれて〟いたのは、白壁だけではなかった。

閉鎖環境3日目。1月14日に行われたある課題で、管制室がざわついた。

「I」のゼッケンをつけた候補者が、なぜか2人いたからである。

候補者たちに配られたゼッケン。審査における誤解や取り違いを防ごうと、AからJのそれぞれ異なるアルファベットが、黒く大きなゴシック調の文字で印字されていた。

同じゼッケンなど、本来あるはずがない。しかし何度モニターを見ても、「I」が2人い

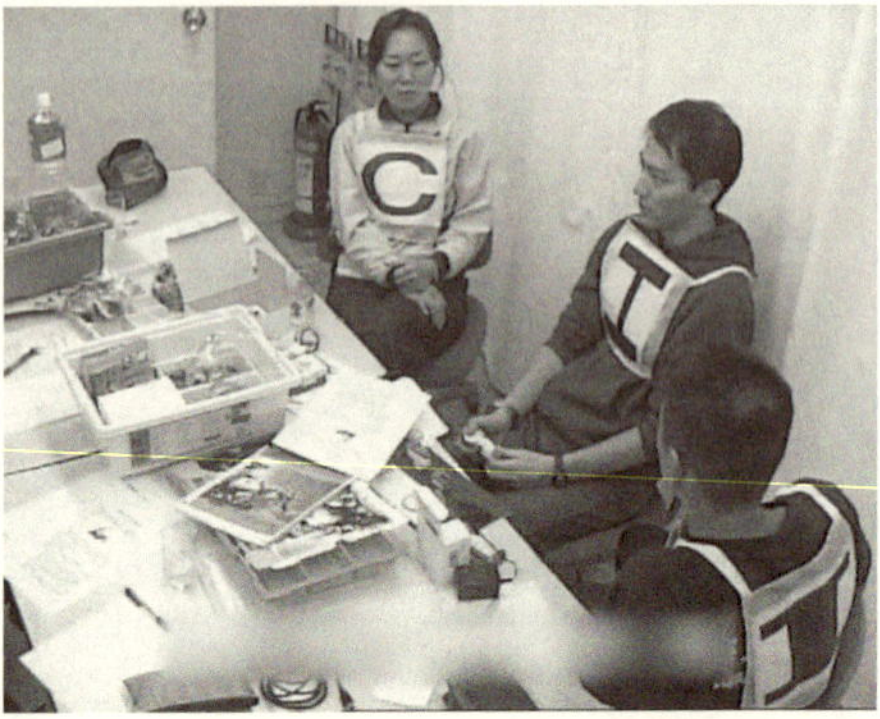

「Ｉ」が２人いるように見える

る。

ゼッケンを間違って配ってしまったのだろうか？　審査委員たちは、候補者とアルファベットを照らし合わせ始めた。

「Ｉは本来、海上保安庁のパイロットの大作《だいさく》さんのはずだけど……。するともう一人のＩは誰？」

照らし合わせた結果、「Ｉ」が二人いる代わりに、「Ｈ」の候補者がいないことがわかった。

「『Ｈ』がいないぞ。誰だ？……あ、安竹《やすたけ》さんか！」

ベンチャー企業の技術者、安竹洋平《ようへい》。今回、最年少だ。その安竹が、「Ｈ」のゼッケンの縦横を取り違えて身につけていた。このため、「Ｈ」が「Ｉ」に見えていたのだ。

原因に気がつくと、管制室では苦笑いする審査委員が相次いだ。

「気づかないんだねぇ」

「周りの候補者も、早く教えてあげればいいのに」

審査側からはもちろん、指摘はできない。安竹本人が気づくか、周りが気づいて教えてやるしかない。

しかし時間が過ぎても、誰も気がつかない。安竹は、ゼッケン「Ｈ」のままだ。

「この候補者たち、みんな大丈夫か？」

審査委員たちの懸念は、周りの候補者にも向けられ始めていた。


なぜ、そこまで気にするのか。

審査委員の一人で、普段は宇宙飛行士の心理面をサポートしているＪＡＸＡの山口孝夫氏は、「今回のようなゼッケンのつけ間違いは、宇宙では軽視できないからです」と話す。

「たかがゼッケンと思うかもしれません。しかし宇宙で同じことをやったら、命取りになることも考えられます。たとえば宇宙服です。宇宙服はいくつかのパーツに分かれており、手順通りに着込んでいく必要があります。しかしもしこの手順を間違えたら、命に関わりかねず、自分だけでなく乗組員全員の任務に影響する可能性があります。

特に今回の試験の場合、ゼッケンは非常に重要なアイテムです。ゼッケンをつけることで、候補者自身は、正当な評価を受けることができます。それだけに、つけ間違えて気がつかないままでいるというのは、あまりよろしくありませんね。周りの候補者も、気づいて指摘してあげるべきです。ライバルとはいえ、まずは同じ目標に向かうチームメイトなのですから」

安竹たちがゼッケンのつけ間違いに気づいたのは、課題が始まってから、しばらくたってのことだった。

「なんかおかしくない?」

「何が?」

「いや、安竹君のゼッケンが……」

「あ、本当だ! Ｉが２人いる!!」

他のメンバーが、ようやく気がついて指摘すると、安竹は大慌てでゼッケンをつけ直した。集中できていれば防げたミス。そのとき安竹は、ほんの一瞬だけ監視カメラに目を向けた。上目遣いのばつの悪そうな表情から、動揺を隠しきれない様子が窺えた。

＊最年少、安竹の挑戦

安竹は、都立西高校を卒業した後、東京工業大学に入学。大学時代は物理学科に在籍し、現在は東京・昭島市にあるベンチャー企業に勤める。

「ユーモアに満ちた宇宙飛行士になって、科学の魅力を伝えたい！」

安竹の志望理由書を見ると、そんなことが書かれてあった。

安竹は週末、小学校などを訪れて、科学教室を開いているという。また、全国各地の科学館を訪問して、その魅力をまとめたホームページを２つも運営している。そんな安竹にとって宇宙飛行士というのは、科学の魅力を最も効果的に伝えることのできる職業に見えていたようだ。

「宇宙飛行士になって、子どもたちに科学の魅力、宇宙の魅力を伝えたいんです。『君もここに来てみないか』と。宇宙飛行士になれたら、子どもたちのチャレンジ精神を刺激するようなことをしたい」

安竹は、最終選抜に残った10人の中で最年少。華々しい経歴を持つ他の候補者たちを前に、圧倒されていたようだ。

それを引け目に感じていたのか、試験が始まる前、私たちに、笑いながら聞いてきた。

「凄い人たちばかりだったのに、なんで僕が選ばれたんですかね？」

すでにして彼は、多少なりとも試験に呑まれていたのである。

その安竹は、2次選抜で優れた成績を収めている。審査委員の中には、「荒削り」とか、他の30代半ばから40代初めの候補者たちと比べて「幼さ」を指摘する声はあった。しかし、人当たりが良く、コミュニケーションが的確に取れること、英語力、専門知識、それに健康状態などの成績が総じて優良であったこと、そして何よりも素直であり、向上心に満ちていたことが、審査委員たちに「今後の成長の可能性を大きく感じさせる」と評価させていた。

そして、さらにプラス要素となっていたのは、彼が実務経験の豊富な技術者であったことだ。

宇宙で科学実験を行うときの最大の難点は、「実験装置が壊れても、簡単には修理できない」ことである。地球に持ち帰ることができれば良いが、そう簡単ではない。スペースシャトルにしろ、ロシアの宇宙船「ソユーズ」にしろ、物資を乗せることのできるスペースは限られている。単位当たりの金額に換算すれば、1キログラム500万円～1000万円という、高額な「輸送料」がかかるのだ。

このため、実験装置の故障は、できる限り宇宙で直すしかない。こうしたケースで存在感を発揮するのは、技術者としてのバックグラウンドを持つ宇宙飛行士だ。自身の知識と技術で修理に当たることができるほか、地上にいる専門家や技術者と交信することで、彼らの指示や要求を的確に理解し、その手足となって行動することもできるからだ。

その一方で、新技術の開発に携わることも、宇宙飛行士の重要な任務の1つである。たとえば若田さんは、スペースシャトルの全身を覆う耐熱タイルに傷がないかどうかを調べる装置の開発に携わっている。新しい技術の開発においても、技術者としてのバックグラウンドは大きな武器になるのだ。

こうした意味で安竹は、宇宙飛行士になる要件を、他の候補者たちに勝るとも劣らないくらいに備えている。

しかし、華々しい経歴を持つ最終候補の顔ぶれ、加えて閉鎖環境という特殊なストレス環境は、いつの間にか安竹に、萎縮してしまうほどのプレッシャーを与えていたようだ。

ゼッケンを着け間違えたときのことを、安竹は次のように振り返る。

「機長さんとか、防衛省の偉い方がいらっしゃって、経験と年齢の差を非常に感じ、圧倒されていました。普段の自分を出せばいいんだと思っていたのですが、みなさんを見ていると、強くアピールもしなければいけないのではないかと、戸惑ってもいたんです。それでバランスを欠いてしまい、集中できていなかったように思います」

安竹も、持てる力を十分に発揮しきれていなかった。白壁の空回りとともに、閉鎖環境での試験がいかに特殊な環境であるかを示す、もう一つの出来事であった。

＊海上保安庁のエースも例外ではなかった

海上保安庁のパイロット、大作毅《たけし》も、試験の独特の雰囲気に調子を狂わされていた。大作がミスを犯したのは、1月14日、試験3日目に始まった「千羽鶴を折れ」という課題の中でだった。

課題は、試験の3日目から6日目までの4日間をかけて行われた。1日当たり1時間、4日間で合計4時間をかけ、候補者1人あたり100羽の鶴を折らなければならない。2分半に1羽のペースで折らないと、ノルマの1000羽を達成できない計算だ。

審査に当たるのは、心理や精神医学が専門の審査委員たちだ。管制室のモニター画面に映し出される候補者たちの様子に、真剣な眼差《まなざ》しを向けていた。

試験のポイントについて、専門家の一人は次のように話した。

「安定したペースで作業を続けられるかどうか。疲れが溜まり、集中力も途切れて、出来が雑になったり、ペースが落ちたりすることもあります。それでも自らを律して、確実に作業をこなし続けていけるかどうか」

この課題にも、候補者に１つでも多くのストレスをかけようという、審査委員たちの一貫した狙いがあった。

ちなみに前回、１９９９年の選抜試験では、「白いジグソーパズル」を組み立てる課題が、同じ狙いで出されている。100個以上の真っ白なピースを制限時間内に完成させるという課題だが、絵が何も描かれていないため極めて難しく、ストレスが溜まる作業となっていた。結局、完成させた候補者は１人もいなかったという。

今回の千羽鶴の課題では、大作は開始早々に躓《つまず》いてしまった。

手元に配られた折り紙は、ビニール袋に包装されていた。１つの袋には、数十枚の色とりどりの折り紙が、赤→オレンジ→黄色というようにグラデーションになる順番で入っている。

大作は袋を開け、折り紙をすべて取り出し、トランプを切るように〝シャッフル〟し始めた。他の候補者たちが黙々と折る中、大作だけは〝シャッフル〟という行為に出たのだ。

すると大作が、突然手をとめ、声を上げた。

「あっ！」

そして両手で頭を抱えたまま、しばらく動かなくなったのである。

一体、何が起きたのか。

大作は試験後、次のように語った。

「最初、折り紙の色はグラデーションに揃っていました。これを崩して、色をバラバラにして並べたら他の候補者よりも目立てるかなと思い、すべて混ぜこぜにしたんです。そうしたら、千羽鶴の折り方を解説した説明書に『できた折り鶴はグラデーションで並べてつなぐと良い』と書いてあることに、気づいて……」

焦る大作。シャッフルして色がバラバラになっていた折り紙を、もう一度グラデーションに戻すことにした。1枚1枚を机の上に並べ、色ごとにまとめる作業に取りかかった。

1人頭を抱える大作

しかし、大作に追い打ちをかける新たな情報が入ってきた。

別の候補者が、千羽鶴の〝色あい〟について、審査委員に問い合わせていた。そして候補者全員に、次のような答えが返ってきたのだ。

「説明書には、グラデーションに並べた方が良いとありますが、どのような順序にしても構わないということです」

その情報を聞かされた大作は、「えーっ!」と声を挙げ、再び肩を落とした。思い込みで作業に取り掛かったために説明書を読むのが遅れ、さらに思い込みで無駄な作業をしてしまった。大作は、折る作業に十分に取りかかれないまま、課題の1日目を終えた。

＊家族の夢も背負った大作

自分で自分を振りまわした大作。しかし、普段の大作からは考えられないミスだ。

大作は、海上保安庁で2機しかないハイテクジェット機「ガルフストリーム5」を操縦する。空から不審船や海難事故の警戒に当たり、巡視船などを支援するのが任務で、1分1秒の差で生死が分かれる海難事故などにおいて、早期発見の要《かなめ》として活躍している。

操縦桿を握る大作

新潟県中越沖地震ではその仕事ぶりが評価され、内閣総理大臣表彰まで受けた。災害という異常事態に直面しても、的確な状況判断と冷静な行動で、抜きん出た業績をあげてきたのである。極めて精緻な操縦技術は、明るく温和な性格と相まって、組織から大きな期待を集めている。

大作は、3人の娘の父親でもある。名前は、長女が天音《あまね》ちゃん（6）、次女が千月《ちづき》ちゃん（3）、そして末娘が彗奈《せいな》ちゃん（1）だ。皆、〝宙《そら》〟にまつわる名前を、大作自身が名づけた。幼い頃から宇宙飛行士に憧れ、今は〝空〟を飛ぶ大作が抱く〝宙〟への熱い想いが込められている。

その大作にとって今回の試験は、幼い頃からの夢に挑戦できる、最初で最後の機会だった。

「手の届かない世界と思っていましたが、10年ぶりの宇宙飛行士の募集を聞いて、夢が現実のものになるかもしれないと、昔の興奮を思い出して応募しました」

今回の選抜試験、大作は家族の応援のおかげでここまで乗り越えてきた。特に妻の真希子さんは一番の理解者だ。大作の幼なじみで、小、中、高、そして大学まで同じ学校に通った。2人は運命を感じて結婚し、家族となったのである。

1次選抜、2次選抜と、合否の通知は封書で候補者に送られてきたが、大作家の場合、最初に封を開けて合否を確認していたのは、真希子さんだったという。

「私の方が盛り上がっちゃって。通知が届く度に、『お父さん、開けるよ！ 開けるよ！』と大騒ぎ。『合格』だとわかると、近所に聞こえるような大声で『やった～！』とはしゃいでいました。本人以上に今回の試験を楽しんでいました」

満面の笑みを見せながら、明るく語る真希子さん。仕事を終え、娘たちが寝静まった後、夜遅くまで試験勉強に励む大作のために夜食を用意してきた。

その真希子さんは、彗奈ちゃんを腕に抱えながら次のように話してくれた。

「お父さんには夢をかなえて欲しくって。私は子供たちの面倒をみるしかできないですから。だから、『子供たちのことは私に任せてパパは試験のことだけを考えて！』と言っています」

最終選抜試験のため、筑波宇宙センターに向かう朝。大作は娘たちが見つめる中、妻の真希子さんにバリカンで髪を刈ってもらった。１次、２次の選抜試験に向かう時も同じようにスポーツ刈りにしてもらっている。いわば合格を勝ち取ってきた験かつぎなのだ。

「お父さん、頑張って！」

真希子さんと3人の娘たちの声援。大作の夢はいつのまにか、家族の夢にもなっていた。

「自分だけの夢ではないと気付いて、全力を尽くさなければならないと思いました」

そう述べていた大作。資質や経験は目覚ましく、最も安定的に力を発揮する候補者に見えた。しかし、その大作でさえ、ストレス要因の多い閉鎖環境ではペースを乱されていたのである。

＊閉鎖環境で際立った大西の力

候補者の多くが戸惑いを見せる中、状況を冷静に分析し、課題に淡々と挑んでいた候補者がいた。全日空（ＡＮＡ）の副操縦士、大西卓哉《おおにしたくや》だ。

大西は、１９７５年生まれ。私立の聖光学院高校を卒業した後、１９９４年、東京大学の理科Ｉ類に合格。航空宇宙工学科に進み、ロケット用の材料としてのセラミックスを研究してきた。

大西は小学生の頃、父親の仕事の関係で転勤が多く、４度も転校を経験している。大西はこの時期に、「冷静さ」を培った。どんな環境であってもなじめるよう、常に周囲を分析し、冷静に行動するという習慣を身に着けたのである。

試験序盤での大西は、あまり目立っていない。私たちも当初から大西に注目していたわけではなかった。頭脳明晰で爽やかな好青年だが、感情の起伏が分かりづらく、テレビ的に惹かれる人間臭さを感じなかったからだ。能力の高いパイロットが多くいたこともあり、その印象は薄かった。

だが、一方で、どの課題もそつなくこなし、審査委員たちの評価は決して悪くなかった。むしろ、ストレスの高い環境下でも、安定した能力を発揮できる人物と見られていた。

大西自身、自らの冷静さを自覚していた。私たちに、「〝冷静さ〟が私の長所でもあり、短所でもあると思うのです。どんなときも冷静に対処できる一方で、他人から冷静すぎて冷たいと判断されがちです」と自己を分析して語っていたのである。

ストレスの多い環境では、落ち込みがちなチームのムードを盛り上げることが最も大切だろう。そんなとき、〝冷静さ〟が売りの大西はどんな力を発揮するのか。その後に行われたある課題で、彼の意外な一面が明らかになったのである。

＊場を〝和ませる力〟

１月15日、閉鎖環境４日目。〝自己アピール〟という、一風変わった課題が出された。テーマは、「自己紹介を、特技などを使って行え」。持ち時間は10分間、候補者全員がアピールしたあと互いの出来を評価し合い、優秀なものを上位３位まで選ぶよう求められた。

ＪＡＸＡがこの課題で測ろうとしたのは、〝ユーモア〟でチームを盛り上げる力が備わっているかどうかだった。

宇宙での長期滞在は、ともすれば殺伐としている。同僚の５人の宇宙飛行士とは四六時中顔を合わせる。このため、他の宇宙飛行士とは私生活でも協力し合っていかなければならない。そして私生活での言葉や行動が、チーム内での評価、すなわち信頼されるかどうかにも繋がる。

重要なのは仕事の能力だけではない。仲間と打ち解け合うために不可欠なコミュニケーション能力、なかでも、「ユーモア＝人を楽しませる能力」が重要になる。

審査委員の長谷川氏も次のように語る。

「長期滞在は6か月で、1日の実働は8時間です。土曜日は仕事がある日もありますが、日曜日は基本的に休みです。この休みのときにこそ、他の宇宙飛行士とコミュニケーションを取れないといけません。実験内容についてのパートナーとのスムーズなやりとりや、サポートをするときは、相手が何を考えているかあらかじめ分からないとできません。そして相手を理解するためには、日頃からの気配りと会話のキャッチボールが必要で、それは楽しい会話ができないと続きません。そういう意味では、長期間、心が安定しているのはもちろん、朗らかで明るくて、相手の気持ちが分かって、時には相手を楽しませるような気配りのできる人が、非常に良い宇宙飛行士になると思うのです」

ちなみに宇宙飛行士は、国籍を問わずひょうきんな人が多い。

若田さんや野口《のぐち》さんも、世界に通用するユーモアがある。

興味深いのは、この「ユーモア」を、国際宇宙ステーションの船長になるために必要な資質であると、ロシアのベテラン宇宙飛行士で、国際宇宙ステーションの船長を務めた、パダルカ氏も語っている点である。

パダルカ氏は、若田さんについて、

「若田は船長になる条件をすべて備えている。船長は、『気づく力』『実直さ、勤勉さ』『忍耐力』、そして何よりも『ユーモア』を兼ね備えている必要がある。彼のもとであれば、クルーは安心して、そして楽しんで任務に当たることができるだろう」

船長になる上で不可欠な、世界に通用する『ユーモア』があるか。自己アピール課題では、そこを見極めようとしていた。そして、この自己アピールで、それまで〝クール〟だと見られていた大西が彼ならではの〝ユーモア〟を発揮し、チームの雰囲気を一変させたのである。

＊大西が見せた意外な一面

得意の合気道や手品を披露したり、5か国語を駆使して歌を唄ってみせるなど、候補者たちは、バラエティ豊かな特技で自らをPRしてみせた。

そして、最終バッターとして登場したのが、大西だった。いつも通り、淡々と自己紹介を終えると、大西は唐突に「実は私、ミュージカルを見るのが好きなんですよ」と切り出した。

「へー」候補者たちは意外そうな、驚き声を上げる。

照れたような表情をしながら、大西は続ける。

「そこで、私の好きなミュージカル、劇団四季の『夢から醒めた夢』の一幕を、皆さんにお見せしたいと思います」

「おー」と皆が反応すると、大西は姿勢を正し、深呼吸した。そして突然、大きな声で歌い始めたのである。

「このまま、時間を止めて、もしそれが叶うのなら〜！

この子の、命の火を消さないで、どうか、おねーがーい‼」

演じている登場人物が違うのか、大西は、声色や立ち位置を変えながら続ける。

「今この手の中に、愛しい我が子がいるー！　神様、どうぞ時間を‼　旅立つのー、光の国へ、だからもう、もういない、約束の時がきたのー！」

大西の熱演に、候補者たちはあっけにとられていた。そしてモニター越しに見守る審査委員たちも、驚きを隠せない。なかでも柳川氏は、何が起こったのかと、あぜんとしてモニターを見つめていた。

「大切な時をくれた友達が笑っている。悲しみに別れを告げて、私は１人行くの！ピコ、お願いだから私に触って。

ピコ、何をしているんだ。早くマコの手に触るんだ。人間に戻れなくなってしまうよ」

大西の独演は、数分続いた。終わった直後、一瞬の沈黙ののち、閉鎖環境施設の中は爆笑の渦に包まれた。他の候補者たちは試験であることも忘れ、夢中になって拍手した。

そして大西は、次のようなオチで締めくくった。

「最後に言おうと思ったんですけど、家ではやっていないですよ、これ」

＊大西はなぜ高く評価されたか

大西の自己アピールは、候補者、審査委員の双方から高く評価された。

どんな状況にあっても、大西は冷静に場の空気を読み、チームを盛り上げる〝ユーモア〟に長けていることに皆が気づかされたのだ。

それまで大西は、並外れた〝冷静さ〟でいかなるストレスも克服できる一方、感情の起伏の少ない面白味に欠けた人間なのではないかと不安視する向きもあった。しかし、この自己アピールを通じて、大西に〝情熱〟的な一面があることが分かり、誰もがその人間的な魅力に惹きつけられた。これ以降、大西は内に熱い思いを秘めながらも、それを上手くコントロールして行動しているのだと受け止められるようになる。

大西自身は、閉鎖環境での自らの行動を、次のように分析している。

「どのような状況でもある程度、冷静でいられること、一歩引いて全体を見ることができるところが多分、私のセールスポイントだと自覚しています。ですから、この資質を生かそうと思いました」

その上で大西は、自己アピールについて次のように話した。

「自分はもともと目立つタイプではないので、その意味であの自己アピールは、正直言って、かなり恥ずかしかったです。本当はあれをやるかどうか、直前まで悩んでいました。でも想像以上に、皆さんのアピールが強烈で、これはまずいと焦りましたね。このまま普通に終わらせたくない、ここで遅れをとることはできないという思いが自分の中にありました」

その大西は、自己アピールが「自分を出すきっかけになった」と言う。

「自己アピールを境に、もう恥ずかしからずに、自分のすべてをさらけ出そうと吹っ切れました。無理して自分を繕って評価されたとしても、それは正しい資質を持った人が選ばれたことにはなりません。やはり、ありのままの自分を出して、それで認められないと意味がないと思い、試験を続けることができました」

持ち前の冷静さで課題をこなしてきた大西。彼は自己アピールを機に本当の自分を出し、〝人を惹きつける力〟が備わっていることを審査委員たちに見せつけた。

大西の「独りミュージカル」は、その日の夕食でも10人の話題の中心となった。

どんなにストレスが溜る厳しい環境でも、冷静に場の空気を読み、度胸とユーモアでチーム全体の空気を和やかにする力。その後大西が、徐々に候補者の中で抜きん出るようになったのは、むしろ当然だったのかもしれない。

第3章　〝危機〟を乗り越える力

宇宙飛行士に求められる資質とは何か。

「ストレスに耐える力」

「リーダーシップとフォロワーシップ」

「チームを盛り上げるユーモア」

そして――

「危機を乗り越える力」が備わってなければならない。


宇宙空間ではいつ、火災や空気漏れといった致命的なトラブルが起こるか分からない。

配線のショートや機器の故障が火災につながったり、「スペースデブリ」と呼ばれる、宇宙を飛び交う古い人工衛星の残骸などの小さなゴミが、国際宇宙ステーションに直撃して壁に穴をあけ、空気漏れを引き起こしたりすることはいつでも起こり得る。

現在の国際宇宙ステーションの前にあった、旧ソ連の宇宙ステーション「ミール」では、１９９７年に、施設のうちの１つで火災が発生している。原因は、酸素を供給する装置に不備があったためだが、滞在していた宇宙飛行士が黒煙にまみれながら、決死の消火活動に当たっている。また、その後もロシアの無人宇宙船「プログレス」が誤ってミールに衝突して空気漏れが発生し、施設の一部を閉鎖しなければならなくなるといった事故や、故障が原因のトラブルが相次いで起き、その都度、宇宙飛行士が命をかけた緊急対応に当たった。

そんな宇宙での危機対応は、一刻一秒を争う。対応が遅れたり、適切でなかったりすれば、自らの命をはじめ、宇宙施設そのものが失われる恐れがある。国の代表として宇宙に滞在している以上、宇宙飛行士は危機を迅速かつ正確に認識し、最適な対応を素早く、効率的に遂行することが当然のこととしてできなければならない。

だからこそ、候補者の「危機を乗り越える力」も、絶対に見極められなければならない資質なのである。そして試験では、その資質を試す課題が用意されていた。

最終選抜試験に臨んだ10人の受験者

＊最終選抜で最大、最重要の課題

閉鎖環境試験3日目、午後4時。

候補者たちに、この試験で最も長く、そして最も重要と言える課題が出された。

〝ロボット作り〟だ。

審査委員側の指示で、2つのチームに分けられた10人。片方のチームはダイニングキッチンに残り、もう片方のチームは、隣の棟にある実験エリアに移動した。その間をつなぐ通路の扉は固く閉じられ、互いの会話が聞こえないように2つのチームが隔離された。

そのチーム分けは、以下の通り。

第1チーム：

内山崇《うちやまたかし》（B・JAXA技術者）、国松大介《くにまつだいすけ》

（D・メーカー経営企画部）、大西卓哉《おおにしたくや》（E・民間パイロット）、油井亀美也《ゆいきみや》（G・自衛隊パイロット）、青井考《あおいのり》（J・物理学者）

第2チーム：
金井宣茂《かないのりしげ》（A・自衛隊医師）、江澤佐知子《えざわさちこ》（C・産婦人科医）、白壁弘次《しらかべひろつぐ》（F・民間パイロット）、安竹洋平《やすたけようへい》（H・メーカー技術者）、大作毅《だいさくたけし》（I・海上保安庁パイロット）

2つのチームに出された課題は、「国際宇宙ステーションで暮らす宇宙飛行士たちの〝心を癒す〟ロボットを作れ」であった。

課題にかける時間は、合計12時間。閉鎖環境試験3日目から6日目まで、1日当たり3時間をかけて行う（76〜77ページ、スケジュール表参照）。最終日の6日目には、作り上げたロボットを審査委員にプレゼンテーションする。最終選抜において、まさに最大、そして最長の課題だ。

ロボットの製作に使うのは、「マインドストーム」と呼ばれるレゴのブロックだ。小学生から大学生までを対象に、科学、技術、情報、さらには工学について体験的に学ぶ目的で開発された。

マインドストームの特徴は、プラスチック製のブロックだけでなく、センサーやモーター、それに小型コンピューターなどの電子機器が含まれている点だ。特にセンサーは、触れることで反応するタッチセンサー、音に反応するサウンドセンサー、それに光や超音波に反応するセンサーと多種多様で、モーターと組み合わせれば、センサーを音や光に反応させて、ロボットを自由に動かすことができる。センサーやモーターは、すべて専用のケーブルを使って、小型のコンピューターにつなぐことができる。

小型コンピューターは、マインドストームの〝頭脳〟ともいえる重要なパーツだ。専用のパソコンソフトを使えば、プログラムを書き込むことができる。このプログラムがセンサーやモーターを司り、ロボットを動かす仕組みだ。発想次第ではどんなロボットも作れるようになっている。

第1チームのメンバーは、JAXAの技術者である内山崇、電機メーカーの経営企画部に所属する国松大介、全日空パイロットの大西卓哉、航空自衛隊パイロットの油井亀美也、物理学者の青井考である。彼らの経歴からすると、第1チームは技術に非常に明るいように見えた。

内山は、宇宙輸送船「HTV」の開発に取り組んできた。沖電気の経営企画部で働く国松も、もともとは半導体の開発を行ってきた技術者だ。全日空パイロットの大西は、自作の飛行機で飛距離を競う「鳥人間コンテスト」に参加したことがある。航空自衛隊の油井は、F15戦闘機のテストパイロットを務めていた。テストパイロットは、開発中の機体や最新鋭の搭載機器を実際に操作して「テスト」し、その評価を行うのが仕事で、技術に明るくないと務まらない。そして青井は、理化学研究所に勤める研究者で、原子の成り立ちを調べるための高度な実験装置を日々扱っている。

〝技術者集団〟の第１チーム

一方の第2チームは、ユニークな経歴のメンバーが揃った印象だ。エアーニッポンの機長、白壁弘次はピアノが趣味で、大学時代、尺八奏者の演奏を解析する技術を研究していた。海上保安庁のパイロットの大作毅は、東京学芸大学で化学の教職課程を修めている〝教育者〟だ。海上自衛隊の外科医、金井宣茂は、食道がんに注目し、放射線治療の有効性を研究したことがある。産婦人科医の江澤佐知子は、サプリメントやクルーザーの販売を手がける起業家の顔も持つ。そしてベンチャー企業に勤める安竹洋平は、友人の美容師のため、会計管理ソフトを趣味で作ってしまうような創作意欲のある技術者だ。

この日は、宇宙飛行士の向井千秋《むかいちあき》さんも審査委員に加わっていた。モニターを通して、両チームの作業や発言の様子を、注意深く観察していた向井さん。他の審査委員に話した感想が印象的だった。

「第1チームがロジックで考える〃技術者チーム〃なら、第2チームは感性で考える〃芸術家チーム〃かも。そうみると面白いね」

その第1チーム、プログラムの担当、説明書を読み込む担当などと、役割分担を明確にした上でロボット作りを進めようとしていた。

検討を重ねた結果、光や音に反応するセンサーを駆使して、ボールをドリブルしながら、最後にしっぽでシュートをする「犬型サッカーロボ」の完成を目指すことになった。センサーを複数組み合わせて、不規則な動きにも対応させる必要があり、高レベルの技術が要求される。

対する第2チームのロボット製作は、くつろいだ雰囲気で進む。どうやって〃人の心を癒す″か、候補者たちは思うままにアイディアを次々と発言する。一見まとまりがないようだが、議論は自然と集約され、「おみくじロボット」を作ろうということに決まった。ロボットの名前は「うらなちゃん」。国際宇宙ステーションのメンバー1人ひとりを巡回して、おみくじを渡すというロボットだ。外見を「巫女《みこ》さん」にして、その可愛らしさと「占い」で乗組員たちを癒そうと考えた。

アイディアを出し合う第2チーム

向井さんの評した通り、第1チームはロジック重視、第2チームはアイディア重視で取り組んでいた。そのアプローチの違いが、結果にどう出てくるのか。期待が高まった。

＊″感性″チームを陰で支えた白壁

アイディアを自由に出し合っていた第2チームのメンバー。一見、まとまりのなかったような議論が上手く集約され始めたのは、白壁が発揮したリーダーシップとフォロワーシップの貢献によるものだ。

「どんな作業が必要なのかを一度洗い出そうか」

白壁は、メンバー全員が積極的に意見を出し合えるようにと、「調整役」に徹していた。メンバーが出すアイディアに、出来る限り肯定的な意見を添え、その上で議論して整理すべきポイントを、やんわりと提案していった。

「この部品とこの部品を組み合わせて、それを起動させてと。それを後で、パソコンで見て確認するといった作業が必要みたいだね。子どもが作れるんだから誰でもできる、という指摘は正しいけど、やっぱり組み立てについては、技術的なものに強い人が中心になって進めたほうが良いように思うけど、どうかな」

審査委員の柳川氏も、白壁のリーダーシップとフォロワーシップに気づいていた。

「ゼッケンＦ（白壁）が回していますね。皆の意見をうまく拾い上げて、発展させようとしている」

実際その動きは、「空回りしていた」という「ＦＣＣ」の時とはまったく異なっていた。

「私の売りはなんだろうと、冷静に考えました。そしてリーダーにもフォロワーにもなれるという柔軟性が、自分の強みではないかと。ロボット作りの課題の頃から、バランス良く周囲を見て、自分も発言しながら、あるときはスッと周りのメンバーどうしを調整するという自然な動きができるようになりました」

普段の自分を出せるようになった白壁。第2グループでは最後まで中心的な存在として、ロボット作りを支えていった。

*江澤の〝アイディア〟が議論を進める

白壁とともに第2チームの議論をより活発にさせたのが、江澤佐知子だった。産婦人科医の江澤が、宇宙飛行士を職業として意識するようになったのは大学院時代。きっかけは、ある人との出会いだ。

その人とは、向井万起夫《まきお》さん。慶應義塾大学病院の病理診断部長で、日本人女性として初めて宇宙飛行した向井千秋さんの夫である。慶應で医学博士を取得した江澤は当時、向井万起夫さんの指導を受けた。万起夫さんから向井千秋さんの話を聞くうちに、新たなチャレンジの目標として、「宇宙飛行士」を意識するようになった。

「医師」というバックグラウンドは、宇宙飛行士にとって大きな武器になる。国際宇宙ステーションは、宇宙飛行士という〝被験体〟を使った、様々な医学実験の場でもあるからだ。

人類が宇宙に進出してから、すでに50年以上が経《た》つ。しかし人間のような高等生物が、宇宙で長く暮らしたとき、その体にどのような影響が出るのかはまだ十分にわかっていない。

宇宙では常に、太陽などが出す強い放射線が飛び交っている。これらの放射線は「宇宙放射線」と呼ばれている。地球にいる場合、こうした宇宙放射線の大半は「大気」などが遮断してくれているため、影響を受けることはない。

しかし宇宙ステーションの場合、宇宙と内部を隔てるのは金属製の外壁しかなく、宇宙放射線はほぼそのまま、ステーション内に入り込む。このため宇宙飛行士は、宇宙放射線を浴び続けることになるのだ。そして宇宙放射線をどの程度浴びると、どのような健康上の問題になるのか、データがまだ乏しいのが実情である。

それを明らかにするには、1人ひとりの宇宙飛行士が浴びた宇宙放射線量を正確に量り、その宇宙飛行士の過去、現在、未来の健康状態と照らし合わせて分析しなければならない。しかし被験者となる宇宙飛行士の数が、世界的に見ても現状ではまだまだ少ない。そのうち日本人はわずか8人しか宇宙に行ったことがなく、1か月以上の長期滞在にいたっては、若《わか》田《た》さんと野口《のぐち》さんの2人しかいない。

無重力状態が人体に及ぼす影響についても、わかっていない点が多い。宇宙に長くいると、筋肉は著しく衰え、骨も顕著にもろくなる。特に骨は、カルシウムが溶け出し、まるで骨粗しょう症の患者のように内部が空洞化していくという。

宇宙で骨がもろくなる速度は、骨粗しょう症患者の病状が進行する速度より、10倍も速いとされる。そのメカニズムの解明と、有効な対応策の研究・検証が、今も続けられている。現在、国際宇宙ステーションに滞在する宇宙飛行士は、過去の知見に基づいて毎日2時間半、筋肉トレーニングやランニングなどの運動をすることが、筋肉や骨の弱体化防止に有効とされている。しかしこの効果についても、データがもっと多くあった方がいい。

医師のバックグラウンドを持つ宇宙飛行士がいれば、こうした宇宙特有の問題について、宇宙にいながら詳しく研究することができる。また、外科的な手術を伴う実験など、医学的に専門性の高い科学実験も行えるようになる。

さらに、同僚の乗組員の診察や治療も可能だ。将来的には月や火星の探査などで、宇宙飛行士は半年から3年、もしくはそれ以上の長い期間、宇宙に滞在することが考えられる。その場合、不慮の事故やトラブルによって宇宙飛行士が負傷する可能性は十分にある。宇宙で診察、治療を行うことは今後、間違いなく必要になり、そのための基礎的な実験や研究開発は不可欠となっている。

そうした意味で江澤は、宇宙飛行士に求められる高い専門性を十二分に有していた。その江澤が、徐々に存在感を示し始めていたのである。

「やっぱり自分に接してくれていると感じられるような機能を持ったロボットにしたほうがいいよ」

「宇宙での生活って、音が重要なんじゃないかな。いつも同じ人たちの声しか聞けないし、その他は周辺機器が鳴っているだけだし」

江澤は積極的に発言していた。それらの発言は医師らしく、受け手の立場を考慮したもので、技術的にできる、できないにとらわれない、自由な発想に富んでいた。

その江澤の発言を踏まえるかたちで、第2チームの議論は発展していった。

＊最大の危機が訪れる

「ロボット作り」の課題は、1月14日、閉鎖環境3日目に始まった。まず両チームは、それぞれどのようなロボットを作るのか、構想を練り上げた。

翌15日、ロボット作りの2日目が行われ、両チームは早速製作に取りかかった。このとき審査委員たちは、候補者たちにさらにストレスを与えようと、「英語でしか話してはならない」というルールを課した。

そして16日、午後4時。課題は3日目を迎えた。前回とは異なり、日本語で話すことが許された。両チームは、翌日に迫った完成披露のプレゼンテーションに向けて、黙々と作業を進めているところだった。しかしこの直後、候補者たちは、これまでにない〝危機的状況〟に直面することになる。

両チームの製作の様子を、モニター越しに見つめる審査委員たち。彼らは、ある〝企《たくら》み〟を実行しようとしていたのである。

＊アポロ13号の教訓

「危機を乗り越える力」。これを発揮する上で、最も大切なものは何か。どんなときも〝折れない心〟である。

これを象徴する事故が、1970年4月11日に打ち上げられた、アメリカの「アポロ13号」で起きた。

人類初の月面着陸を達成した「アポロ11号」から半年余り。同じく月面探査の使命を負ったアポロ13号が、アメリカ・フロリダ州のケネディ宇宙センターから打ち上げられた。

打ち上げから2日経ち、すべてが順調に見えた4月13日の夜。突然、船が大きな衝撃に見舞われた。原因を調査した結果、船に酸素を供給する酸素タンクが、電線のショートが原因

アポロ13号の乗組員３人とニクソン大統領（中央右）／NASA 提供

で爆発を起こし、他の機器も損傷させていたことがわかった。

酸素も、水も、電力も、新たに供給することができない。しかし地球に帰還するためには、これから100時間は、宇宙で生きていなければならない。船にはあらゆる事態を想定して、同じ装置が複数、搭載されていたのに、ほとんどが一度にダメになってしまうという、想像を絶する緊急事態。アポロ13号は、まさに絶体絶命の危機的状況に陥っていた。

３人の宇宙飛行士（ジェームズ・A・ラベル船長、ジョン・L・スワイガート司令船操縦士、フレッド・W・ヘイズ月着陸船操縦士）は、命の危険に直面していた。彼らはこの危機的状況の中で、地上にいる管制官たちや技術者たちと力を合わせ、地球へ帰還するための対応を何度も迫られることになった。

アポロ13号は、打ち上げのときをはじめ、宇宙での飛行と地球に帰還するときに使う「司令船」と、月面に着陸し、月での活動拠点として使う「着陸船」の２つの船で構成されている。司令船は、地球に帰還するときに不可欠だが、事故の影響で新しい酸素や電力を供給できなくなっていた。残された分量を最大限に、そして有効に使うしか道はない。３人は、「司令船」のすべての電力を落としたあと、損傷のない月面着陸船に乗り移り、地球への帰還までこの中で生命を維持することになった。

このとき課題となったのが、３人が吐き出す二酸化炭素だ。宇宙船の中は重力がないために、対流がない。つまり空気が循環しない。換気扇、それに二酸化炭素を除去するフィルターなどを使って、人工的に空気の循環を生み出し、船の中の二酸化炭素濃度を下げないと、宇宙飛行士は自ら吐き出した二酸化炭素で窒息してしまう。

しかし、着陸船の二酸化炭素除去フィルターは２人分で、２日分しか準備されていなかったのである。予備のフィルターはいくつかあったが、着陸船のフィルターと形状が異なり、そのままでは装着することができない。

このため地上の管制チームは、船内にあるボール紙やビニール袋、それにテープを使って、予備のフィルターを着陸船に取り付ける対処法を考案。乗組員３人は、地上からの指示に基

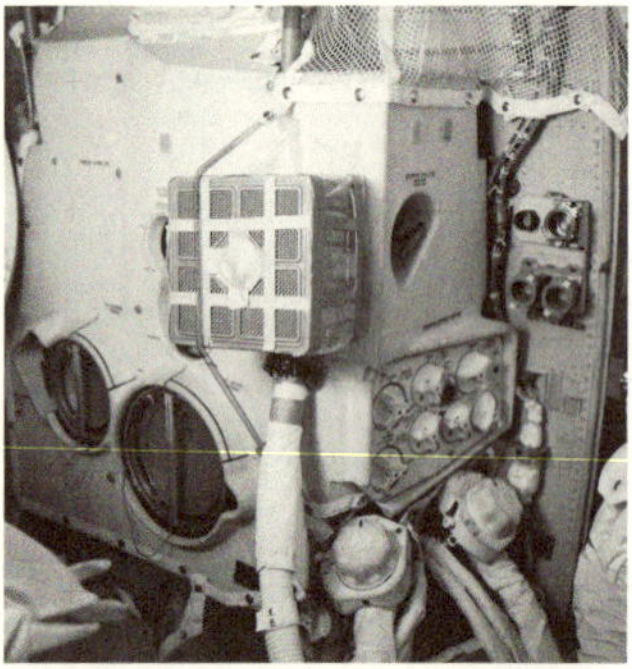

乗組員たちによって作られた空気清浄機／NASA 提供

づき、二酸化炭素の除去フィルターを、ありあわせのもので製作することになった。

　地上の管制チームは、乗組員たちにその作り方を口頭で伝えた。しかし、電力が正常に供給されない船内の温度は、０度近くまで下がっていた。あまりの寒さに、宇宙飛行士たちは体を休めたり、睡眠を取ったりすることもできず、身体的、精神的にも疲労は蓄積するばかり。それでも３人は、ラベル船長を中心に力を合わせ、地上からの指示に基づいてフィルターを完成させた。

　３人はさらに、月の引力を逆に利用して地球に戻ることができるよう、宇宙船の飛行の軌道を修正。このときも３人は、複雑な軌道計算と、飛行の軌道を変更するためのコンピューターへの入力を、地上の管制官たちとともに１つのミスもなく進めることが求められた。

　そして事故の発生から４日後となる、１９７０年４月17日。３人は司令船に戻り、大気圏への再突入、さらには地球への帰還を試みることになった。管制チームが、地上で何度もシミュレーションを繰り返し、再突入の手順を確認した上で３人に口頭で伝えた。

まずは、すべての電源を切っていた司令船の電力を、再び立ち上げなければならない。しかし、電源を入れたときに急激な電圧がかかることがあれば、回路がショートして船の機能が失われる可能性がある。このため地上の管制チームは、あらゆるトラブルを回避しようと急遽《きゅうきょ》、新たな手順書を作成した。しかし、宇宙飛行士1人の手順だけでも、すべて読み上げるのに2時間もかかったのである。

対応策を協議する地上管制チーム／NASA 提供

それでも口頭で読み上げられた手順書を正確に書き写し、ミスなく実行しないと再突入はできない。寒さ、寝不足、命が危険にさらされているという、絶え間ないストレス。3人は、精神的にも体力的にも限界に達していた。しかし、パニックに陥ったり、精神的に不安定になったりする様子は見せず、地上の管制官たちが1行1行ゆっくりと読み上げる手順を、丁寧に復唱。冷静に、そして確実に操作を実行していった。

ついに運命の再突入……。音速の十数倍という、超高速で大気圏に突入した船は、空気とぶつかりあい、火の玉のように燃え上がった。地上との通信が途絶し、沈黙が数分間続いた。固《かた》唾《ず》を飲む、地上の管制チーム。そして、良好ではない通信状況の中、ラベル船長の声が少しずつ聞こえてくると、管制チームは3人の生還を確信。大きな歓声と拍手に包まれた。3人は、管制チームをはじめとした、地上にいる数多《あまた》の技術者たちとの協力の下、人類の宇宙開発史上、最も過酷と言われる危機を見事に乗り越え、無事に地球への帰還を果たしたのである。

アポロ13号、そしてラベル船長ら3人は、本来の目的である月面に到達することができなかった。しかし、絶体絶命の危機にあきらめることなく立ち向かい、それを乗り越えた見事なチームワークは、〝成功した失敗〟と呼ばれ、今もなお学ぶべき事例として、宇宙開発に留まらず人間工学などの様々な分野で研究の対象となっている。

配線のショートという、一見すれば些細な原因から起きた大きな事故。アポロ13号の事故は、宇宙飛行がいかに〝綱渡り〟であるかを、世界にまざまざと見せつけたのである。

しかしその一方で、想像を超える危機を乗り越える上で、何が最も大切かも教えてくれた。

それが、〝折れない心〟だ。

宇宙飛行士は、地上にいる何千もの管制官や技術者に支えられることではじめて、宇宙飛行をすることができる。しかし、いざ宇宙で危機に陥ったとき、宇宙飛行士は孤独だ。地上の管制チームは、解決策を編み出し、指示やアドバイスを出して励ますことはできても、直接手を貸したり、代わりを務めたりすることはできない。

「命の危険に直面しているのは自分だけだ！　地上の連中には、この苦しさと恐怖は分からない！」。宇宙空間に孤独に漂う宇宙飛行士の立場であれば、当然生まれる不満だろう。酸素がない、電力がない、寒すぎて眠ることも休むこともできない。その絶望的な恐怖は当然、宇宙飛行士にしか分からない。しかしそれを声高に叫んでみても、危機的な状況は何も変わらない。むしろ、こうした自己中心的な態度はチームにとってマイナスでしかない。

すなわち宇宙飛行士は、どのような絶望的な状況であっても、同僚の宇宙飛行士はもちろん、地上にいる仲間に全幅の信頼を置き、冷静さを決して失ってはならない。そして、地上の仲間を逆にいたわるような余裕を見せ、彼らが力を最大限に引き出してくれるよう、出来うる限りのすべてのことを、迅速に、そして正確に行わなければならない。最も危機的な状況にある宇宙飛行士こそが、率先して自らの平常心を保ち、どのような状況にあろうとも決してあきらめないという、〝折れない心〟を持っていなければならないのだ。

ちなみに、アポロ13号の危機への対応を象徴する言葉を、当時の管制チームのリーダーが発している。

Failure is not an option.

——失敗に終わるというのは、我々に許された選択肢ではない。

宇宙飛行士に求められる、どんな危機に陥っても冷静に対応し、壁を乗り越えていく判断力と実行力。すなわち〝危機を乗り越える力〟。

その力が、10人の候補者たちにあるのか。

「ロボットづくり」の課題で、候補者たちはいよいよ試されることとなった。

＊わずか3時間でロボットを作る10人の能力

1月16日、午後4時過ぎ。「ロボット作り」の課題、3日目。

突然、審査委員から2つのチームに1つの指令が出された。

「このあと、両チームには、中間プレゼンテーションを行っていただきます」

製作途中のロボットを動かし、それぞれのチームがどのようなロボットを目指しているのかを、分かりやすく発表して欲しいとの指示であった。

本来、ロボットの動きを披露するプレゼンテーションは、明日に予定されていたはずだ。候補者たちは、この日の製作時間は1日分、すなわち残り3時間はあると見込んでいた。それだけに、突然の指令に両チームは一瞬、戸惑った。

しかし、両チームとも製作自体は順調に進んでいた。動作のテストは不十分だが、完成形近くにまで組み立ては進んでいたため、なんとか乗り越えられるだろうと考えた。そして、両チームはそれぞれの部屋で、発表を行うこととなった。中間プレゼンとはいえ、お互いのロボットはこの時点ではまだ見ることができない。

最初に、実験エリアで作業に当たっていた「第1チーム」がプレゼンテーションを行うことになった。第1チームのメンバーは、パイロットの大西卓哉と油井亀美也、物理学者の青井考、JAXA技術者の内山崇、そして沖電気工業の国松大介。発表者は国松だ。アメリカの映画、スーパーマンに出てくる「クラーク・ケント」のような、甘いマスクと爽やかな笑顔の国松。監視カメラに向かって、快活な語り口でロボットの紹介を始めた。

「長期滞在の宇宙飛行士にとって、ペットのような存在が、宇宙でのストレスを癒してくれることは明らかです。私たちが完成を目指すのは、犬型ロボット。サッカーが得意で、その愛嬌のある動きがクルーに癒しを与えます」

第１チームによる〝犬型サッカーロボ〟

ロジカルなチームらしく、プレゼンでも役割分担はしっかり決められていた。国松の説明を受け、他の候補者がロボットを床に置き、電源を入れた。そしてロボットの後方に手を当て、追い立てるように手を動かした。ロボットの背面に取り付けた超音波センサーを働かせるためだ。センサーが動く手を感知すると、ロボットが一定距離、前に進む設計だった。この動きを利用すれば、ロボットの１メートルほど前方にあらかじめ置いた、紙で作ったボールのところまで、ロボットを動かすことができるはずだった。

ところが……

ロボットがいよいよ、ボールの目の前まで到達する直前のところで、いきなりくるっと後ろを向き、ボールを蹴るために作った尻尾の部分が、勢い良く回転を始めてしまった。

「すかっ！」

見事な空振り。候補者たちは一瞬、ばつが悪そうな表情を浮かべ、沈黙した。

慌てる国松。場を持たせようと、懸命にロボットをかばう。

「すいません！ これ、声に反応してしまうんです」

ロボットには、音を感知するセンサーが取り付けられていた。音に反応させることで、ボールを蹴るようプログラムを組んでいたのである。しかし、プレゼンテーションをする国松の声に、センサーが反応してしまい、ボールに到達する前に蹴る動作を始めてしまったのだ。

気を取り直して、候補者たちはロボットを手にとり、ボールの目の前に置いた。そして、ボールを蹴るように、ロボットに呼びかけた。

ぽーん！ 回転する尻尾にボールが当たり、小気味よく飛んでいった。そして、自衛隊の油井が「グッド・ジョブ」と声をかけ、頭をなでると触覚センサーが作動し、ロボットは尻尾を振り回しながら体を左右に揺らしはじめた。いわゆる「喜びのダンス」だ。

プレゼンテーションはぎこちなく、ロボットも狙い通りに動かずに精彩を欠いた。しかし、国松の声に予想外に反応してしまうというトラブルを除けば、第1チームは「犬型サッカーロボット」のコンセプトをそれなりに示せたようであった。

続いて、ダイニングキッチンで作業していた第2チームの番となった。第2チームのメンバーは、パイロットの白壁弘次と大作毅、医師の江澤佐知子と金井宣茂、それにベンチャー企業のサラリーマンである安竹洋平だ。発表者は大作。普段から決して口数の多くない大作だが、ひとたび人前に立つと、とにかく流暢《りゅうちょう》に語る。大作自身、スピーチは得意だと自負しているようだ。白壁と発表内容を綿密に打ち合わせ、本番に臨んだ。

「わがチームは『おみくじロボ　うらなちゃん』を製作しました。長期滞在中、宇宙飛行士は同じメンバーとばかり顔を合わせているので、刺激が不足しがちです。また、地球上とは時間の感覚が異なり、体調がおかしくなることがあります。このロボットは、毎朝決まった時間に今日1日の運勢を占うおみくじを持ってきてくれるので、時間感覚の基準になるし、さらに可愛い巫女《みこ》さんが笑顔を振りまいてくれることで癒しの効果を期待できるのです」

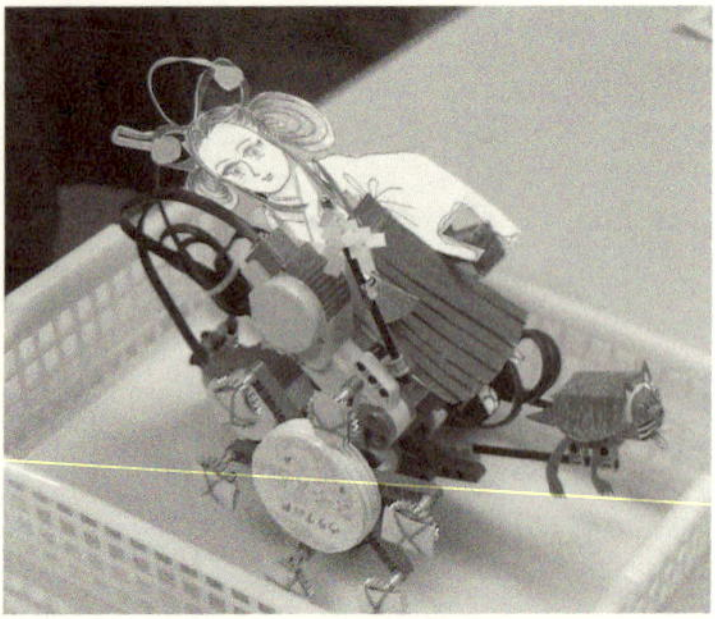

第2チーム製作〝うらなちゃん〟

流れるように語る大作。残りの候補者は、テーブルを囲むように座った。「うらなちゃん」はテーブルの上に置かれている。大作の説明のあと、動き出した「うらなちゃん」。候補者のうちの1人の席へと、ゆっくりと向かっていった。

そして、候補者が「グッド・モーニング！」と声をかけて柏手《かしわで》を打つと、音声センサーが作動。手の位置に取り付けられた車輪が、回り始めた。車輪は5つの筒を組み合わせる形でできており、それぞれの筒に巻物状に丸められた紙のおみくじがついている。候補者は、一番上の面に止まった筒のおみくじを取り外し、読み上げた。

「〝小吉〟。今日はおうちでゆっくりするのが良さそう。地球を見ながら、音楽をどうぞ」

メンバーがおみくじを読み終えると、「Ｈａｖｅ ａ ｎｉｃｅ ｄａｙ！」という言葉を残し、隣の席に座る、別の候補者のもとへと向かう。「うらなちゃん」のプログラムには、候補者の座っている位置があらかじめ入力されていたのである。

「〝大吉〟。今日はおでかけがラッキー、船外活動で宇宙人に会えるかも！ Ｈａｖｅ ａ ｎｉｃｅ ｄａｙ！」

プログラムに基づき、うらなちゃんはテーブルを囲む候補者の席の前へ正確に近づいていった。席に到達すると、音に感知するセンサーが柏手に反応、おみくじの付いた車輪が動く仕組みだ。そして、おみくじを抜くと、十数秒後に「Ｈａｖｅ ａ ｎｉｃｅ ｄａｙ！」と話すように設定されている。どれも緻密に計算された動きだった。

第1チームが、複雑な動きを実現しようという、実に〝技術者チーム〟らしいロボットであったのに対して、第2チームのロボットは、おみくじロボットというアイディアがユニークで、ロボットの動きやおみくじに書かれた内容もコミカルだ。第2チームは、見る者を楽しませようという気持ちにあふれ、宇宙飛行士の向井さんが評したように、実に〝芸術家チーム〟らしいプレゼンテーションだった。

実際の組み立て作業は、3時間程度しか行っていなかったとはいえ、両チームのロボットはそれなりに完成されていた。それは、彼らが綿密なスケジュールに基づいて、着々とロボット作りを進めることができていた証明である。初めて見る部品を把握し、アイディアを話し合う時間を考えれば、この時点での両チームのパフォーマンスは褒められるべきだろう。

見つめる柳川氏ら審査委員たち

だが、管制室のモニターを通して、彼らの中間プレゼンテーションを見つめていた審査委員たちの反応はまったく違っていた。両チームに伝えられた委員たちの反応が、一気に10人を「危機」へと陥れたのである。

＊10人に用意された〝危機的状況〟

「はい、ありがとうございました。それではこれから、試験のために海外から来た専門家に、マイクを回しますので、少々、お待ちください」

第1チームのいる実験エリアを映し出すモニター画面。発表を担当した国松を取り囲むように、大西、油井、青井、内山が、緊張した面持《おもも》ちで来たるべき講評に耳を傾ける。

「皆さんこんにちは。私は、ロシア代表のツィルコフスキーです。今日は、皆さんはロシア語ができないと思いますので、日本語で話します」

いきなり、ロシア連邦宇宙庁の科学者に扮《ふん》して講評を始めたのは、審査委員の柳川孝二氏だった。国際宇宙ステーションでは、人種や文化の異なる乗組員が、共同で任務に当たらなければならないことを伝えようと、柳川氏はあえて他国の宇宙機関の担当者を装って講評を行ったのである。

柳川氏は、日本人の宇宙飛行士たち（若田光一・野口総一・星出彰彦・山崎直子・古川聡）の直接の上司でもある。長年NASAやJAXAの宇宙飛行士たちとともにミッションに当たってきた経験から、どんな人材が宇宙飛行士に適しているのか、柳川氏なりの答えがある。

柳川氏は真剣な表情で、次のようにコメントした。

「宇宙はご存知のように無重力状態です。打ったボールが飛び出していったあとは、どうなるのでしょう。一度シュートしたらそれで終わりということになってしまうのでしょうか。無重力空間でのボールのコントロールは、どうするのでしょうか。宇宙ステーションには重要な機器がたくさんあります。それらへの影響を考慮した上での設計をしているのでしょうか?」

ロボットを使うのは、無重力状態の宇宙空間である。その前提をしっかり理解して、製作に当たっているのか。第1チームのロボット作りを、根本から問い直す質問だった。確かに、犬型サッカーロボの蹴ったボールは、無重力状態ではどこに飛んでいくのかまるで分からない。国際宇宙ステーションの中は空気を循環させるため、換気扇が常に回っていて、各所にある換気口から空気が吸い込まれたり、吐き出されたりしている。今回のような小さなボールが換気口の中に吸い込まれると、周辺機器の故障の原因にもなりかねない。宇宙ステーションという環境への配慮が足りないということを、遠回しに批判する指摘だった。

次に第1チームの講評に当たったのは、同じく審査委員で、JAXAの「有人宇宙環境利用ミッション本部」のマネージャー、上垣内茂樹《かみがいちしげき》氏だった。国際宇宙ステーションを今後、どのように活用していくか、検討に当たっている上垣内氏は、毛利さん、向井さん、土井さんとともに、日本の有人宇宙開発の黎明期を支えてきたメンバーだ。毛利さんがスペースシャトルに日本人として初めて乗り組むとき、持ち込む実験装置の設計や仕様を巡って、NASAとの間で厳しい討論を経験した。そのとき上垣内氏は、NASAをはじめ、世界を納得させる装置を作ることの大変さを身にしみて実感していた。その上垣内氏が、NASAのスタッフに扮して第１チームに次のように指摘した。

「NASA代表のロバート・ロナルド・ジュニアです。犬型ロボットということですが、まったく犬には見えません。動きを見ていると、犬のように従順ではありませんね。そこまで気まぐれで言うことをきかないのなら、犬ではなく、いっそ猫に変えられたらいかがでしょうか？　しかし猫の場合、尻尾でボールを打つことはないので、どうしたものでしょうかね。今のままでは、すべて宇宙飛行士が面倒を見なければなりませんから、心を癒すロボットとは、ちょっと言えませんよね。犬であるというならば、犬らしくさせてください」

上垣内氏の発言のあとも、講評は続いた。そして第１チームの犬型ロボットは、ほぼ全否定されてしまう。

文字通り、立ち尽くす５人。

「……ありがとうございました」

発表者としてチームを代表していた国松が、カメラに向けてわずかに挨拶した。一方で他の候補者たちは、真剣に考え込んでいる様子だった。どうしたらいいのだろう？　重苦しい雰囲気を明るくするための軽い冗談も飛ばせないほど、予想外の厳しい講評だった。

柳川氏たち審査委員の視線は、今度はダイニングキッチンを映し出すモニター画面に注がれた。そこには、評価を待つ第2チームの、5人の姿が映し出されている。「おみくじロボットうらなちゃん」のプレゼンテーションがスムーズに進んだ自信からか、発表者の大作を始め、白壁、江澤、金井、安竹の表情には、明らかに余裕があった。

しかし……。

今度は、JAXAの「宇宙環境利用センター」のセンター長（当時）を務める、田中哲夫氏が講評に当たった。国際宇宙ステーションにある日本の実験棟「きぼう」で、今後どのような科学実験を行うべきか、検討や提案に取り組んでいる宇宙実験の専門家だ。

「こんにちは、欧州宇宙機関に所属する、ギリシャ代表のノルトバインです。おみくじというものを初めて見ましたが……面白くありませんでした。まず、なぜ2回、パンパンと手を叩くのかなと。4回叩いてもいいのでしょうか。それと、国際宇宙ステーションの中は騒音があって、非常にうるさいところです。音だけではなく手を振ると動くとか、他の方法も考えないと、宇宙では成り立たないのではないでしょうか？」

田中氏のあと、柳川氏が続く。

「ロシア代表のツィルコフスキーです。我々の国家は、多民族で色々な人種で構成されています。見せてくれたロボットは、日本の神道に基づいているのだと思いますが、我が国には、ロシア正教、キリスト教、イスラム教など様々な宗教があります。そういう人達におみくじはどのように受け取られるか、まず、考える必要があったのではないでしょうか？　フォーチュンテラーのような西洋の習慣を取り入れることも、みなさんは考えるかもしれませんが、その場合でも、人種や宗教がもたらす影響をしっかりと考える必要があるのではないでしょうか」

第2チームは、宇宙ステーションが異文化交流の場であることを十分に想定していなかった。他国の宗教や文化に思いを致すことが、国際宇宙ステーションに滞在する宇宙飛行士、特に、船長のようなリーダーになる人物には必要だ。おみくじが果たして、言語も宗教も異なる他の宇宙飛行士に、何の問題もなく受け入れられるのか。審査委員がみな、国際宇宙ステーション計画に参加する各国の代表に扮したのは、宇宙分野の技術開発では検討すべきことが非常に多岐にわたること、そして文化の違いを意識する必要があることを気づかせるためであった。

講評を聞いた後、第2チームの1人が声もなくつぶやいた。

「面白くないって……」

ロボットの動きやおみくじの内容、プレゼンに至るまで、ユーモアを追求してきた第2チーム。明確な狙いがあっただけに、ショックを受ける一言であった。第2チームのメンバーも、うつむいたまま考え込んでしまった。

柳川氏ら審査委員は、候補者たちの様子をモニター越しに引き続き観察しながら、その後もロボットの問題点を互いに話し合っていた。

「第1チームの犬ロボットのほうは、全然まともに動いていなかった」

「技術者チームのように見えたのに、がっかりだ」

「それに比べると、おみくじロボットは意外によく動いていた」

「でも逆にあまりにシンプル過ぎて、意外性がないから面白くない」

突き放した発言をする審査委員たち。残すところあと1時間の作業時間で、候補者たちが軌道修正できるのかどうかを考慮しての発言ではなかった。むしろ、わざと解決できないような無理難題を10人に課しているようだ。

中間プレゼンテーションの目的は何であったのか。その理由を、柳川氏と上垣内氏が明らかにしてくれた。

柳川氏は言う。

「難癖をつけられたとき、なぜそのように評価されたのかをまず分析し、次にそれをどうやってリカバーするか。課された問題をどのように乗り越えるのかを見たいのです」

続いて上垣内氏。

「宇宙では何だって起こりますから。それこそ解決できないようなことを、解決しなければいけないわけです。アポロ13号なんか、そうやって降りてきたわけじゃないですか。船の中に、もともとはまったくなかったものを、ありあわせのもので作り出して、ちゃんと生命維持をしながら。宇宙では何が起こるか分からないんだから、私たちが指摘する内容は何でもいいんですよ。問題は、彼らがどうやって解決するかということ。とにかく自分からアイデアを出して、当然自分もあきらめないし、みんなにも『あきらめるな！』と言える人が現れてほしいですよね……あきらめたら、おしまいですから」

＊チームを蘇らせたリーダー

柳川氏らの指摘を受けて、第１チームのメンバーは、その場に立ち尽くしていた。どうすれば、指摘された点をクリアできるのか。皆、それぞれの頭の中で、解決策を模索していた。しかし、誰も声を上げない。まるで時間が止まったように、第1チームの候補者たちは動かなかった。残された時間は少ない。誰かが、リーダーシップを発揮しなければならないときであった。

そんな中、1人の候補者が全員に呼びかけた。

「できることとできないことを整理して、対策を考えよう！」

この呼びかけを機に、まさに全員の目が醒め、今後の対策に向けた議論が始まった。

呼びかけたのは、航空自衛隊のパイロット、ゼッケン「G」をつけた油井亀美也だった。チームのリーダー役は、毎日、交替制で決められていたが、この日の第1チームのリーダーは油井。彼がチームを引っ張らなければ、この危機を乗り切ることはできない状況にあった。

実は油井は、審査委員からの講評を受けていたとき、冷静な行動を取っていた。他の候補者たちが立ち尽くす中、油井はひとり、柳川氏ら審査委員の予想外の厳しい指摘を、しっかりとメモしていたのである。そして指摘されたポイントの整理は、まさにこのメモに基づいて進められることになった。

「いろいろと言われたが、対応すべきはつまるところ、無重力でシュートしたボールはどこに飛んでいくか分からないという問題と、『従順ではないので犬に見えない、猫にしたらどうか？』という指摘の、2点ではないか？」

改良作業の時間がわずかしか残されていない中で、油井は、これからチームは何に取り組み、何をあえて「捨てる」べきか、リーダーとして議論を進めていこうと乗り出したのだ。

その理由を、油井は次のように語っている。

「パイロットをしているとき、条件が揃わなかった場合には、物事を中断する勇気を持つことも必要だという経験を味わってきました。1つのことをあきらめずにどんどんやっていくというのは一見、積極的で勇ましく思えますが、そうではない。やはり状況が整わないときには、これは〝できない〟ということもあり得る。だからこそ、取り組むべき問題自体を切り捨てるというのも、私は一種の勇気だと思っていました」

＊「ライトスタッフ」を地でいく男

油井は、映画「ライトスタッフ」を地でいく男だ。

1970年、長野県川上村生まれの油井。幼い頃から宇宙の星々に興味があり、きれいな星空を見上げては、宇宙飛行士になることを夢見ていた。

油井はその夢を忘れることなく、地元の川上中学を卒業、県立の野沢北高校に進学した。その後、１９８８年に防衛大学校入学。卒業後は幹部候補生として航空自衛隊に入隊し、Ｆ15戦闘機のパイロットとなった。さらに２００４年には、新技術のテストや開発に携わる「テストパイロット」になった。

パイロット姿の油井

「実は心の片隅で、宇宙飛行士になるにはどうしたらいいのか、いつも考えていました。それで、テストパイロットコースに自ら手を挙げて進みました。テストパイロットになれば、いつかは、宇宙に行くチャンスがあるのではないかと思っていたからです」

その根拠について油井は、映画「ライトスタッフ」を見たことを挙げた。

「ライトスタッフはアメリカの宇宙開発の歴史を描いた作品で、私が非常に気に入っている映画です。その中で、アメリカが宇宙開発を始めたばかりのときに、最初の宇宙飛行士たちをテストパイロットから選んでいたことを知りました。私自身、自衛隊に入隊した後、テストパイロットの人たちは、非常に優れた資質を持っていると感じていました。だからそういう人間に自分がなれれば、私ももしかしたら、宇宙に近づけるのではないかと思ったのです」

その油井が並々ならぬ実力を有していることは、試験序盤から見え始めていた。ディベートやグループディスカッションの課題で、無類の強さを発揮したからだ。

それらの課題で、審査側が測ろうとしたのは「コミュニケーション能力」だった。

国際宇宙ステーションでは、６人の乗組員が任務に当たる。各国の乗組員に自らの考えを伝えて納得してもらえなければ、リーダーシップは発揮できない。それゆえ、ＪＡＸＡは、それに必要な「コミュニケーション能力」を測るために、ディベートやグループディスカッションを行い、「論理的思考力」や「理解力」、「表現力」を見極めようとしたのである。

今回の閉鎖環境試験では、ディベートとグループディスカッションが6回実施されている。

ちなみに論じられたテーマは、

1回目「世界金融危機後の世界秩序において、アメリカの優位性は維持すべきか？」

2回目「道州制を導入すべきであるか？」

3回目「日本は環境税を導入すべきか？」

といった具合だ。宇宙とは全く関係のないテーマに面喰らった候補者も多かったようだ。

10人に1つのテーマが与えられ、5人が肯定側、残りの5人が否定側と、2つのチームに分けられる。毎回、メンバーを入れ替えるかたちで実施された。議論の内容を審査委員が評価し、チームの勝敗が決められたが、ただ1人全勝したのが油井であった。

何故、油井はディベートに強いのか。その経歴を見れば納得できる。

試験当時、油井は東京・市ヶ谷にある防衛省に勤務していた。その詳しい仕事の中身は、「国家の防衛機密に関わる」との理由から油井も多くは語らなかったが、ミサイル防衛など日米の防衛協力に関わる任務に就いていたという。当然ながら、米軍の幹部と日常的に意見交換し、国を代表して国家レベルの議論や交渉をする機会が多かったようだ。

多国籍国家のアメリカは、「阿吽《あうん》の呼吸」や「曖昧《あいまい》さ」といった日本的なコミュニケーションの手法は通じない。アメリカでは幼少の頃から、「主張しなければ、権利を放棄したのと同じ」と教え込まれる。このため、ディベートや議論をすることが、日常的になっているのだ。油井はそうした「議論好き」のアメリカ人の中でも、国家の防衛を担う米軍のエリートたちと対峙《たいじ》してきた。

また、油井の職場は、常にカメラで監視されていたという。油井が扱っていた防衛機密の重大さを窺い知ることができる。その油井にとって、閉鎖環境での試験は、自衛隊での生活とさして変わらないものだったのかもしれない。

「カメラがついていることはほとんど気にせず、１週間を送りました。閉鎖環境ではいくら自分を飾っても、常にカメラが見ています。ふと気が抜けたときに、素《す》が出てしまうものです。だから自分自身をありのまま、見せるしかないんです」

緊急事態に直面したとき、どのように行動すべきかについても、自衛隊での訓練や任務を通じて着実に身につけていた。

そしてこのロボット作りの課題では、チームが審査委員たちから厳しい指摘を受け、危機に直面した。「自分は今、何を求められているのか?」。油井は現状を的確に分析し、リーダーシップを発揮しながら積極的に判断を下していった。

「ああいう時は本当にリーダーシップが大事だと思います。制限時間が迫り、状況が錯綜してきて何をすればいいかわからないようになると、全員の役割分担が不明確になって、作業に非効率な部分が必ず生まれてきます。そこはリーダーがしっかりと、明確な指示を直接出してあげて、目標達成に導くことが非常に大事だと考えています」

油井はこれまでの人生で、与えられた環境において夢を達成するためには何をしなければならないのかを考え、ひたすら努力を積み重ねてきた。彼はまさに、宇宙飛行士になるために自らの人生を設計し、歩んできたのである。そして、彼が38年間磨き続けた人間性や技能は、閉鎖環境試験でおおいに発揮されていたのだ。

＊頭角を現したもう1人のパイロット

油井の整理に基づき、候補者たちはアイディアを出し合った。そして、〝シュートした後のボールをどうするか？〟という1つ目の問題については、「ひもをつける」ことで解決を見た。

しかし最大の懸案は、〝どう改良すれば従順なロボットになるか？〟という問題であった。第1チームの犬型ロボットは、背面に設置された超音波センサーに手をかざすと、前に進んでいく設計だ。手をかざし続ければ前に進み、遠ざければ止まる。そしてボールの目の前まで行くと、「シュート！」という言葉をサウンドセンサーに感知させ、尻尾を回してシュートさせる。

ところがプレゼンテーションでは、ボールの位置までうまく移動させることができなかった。ロボットに内蔵された音センサーが、発表者である国松の声や、候補者の足音に反応してしまい、ボールを蹴る尻尾が予定より早く作動し、空振りしてしまったのである。計画通りにはまったく動かなかったため、審査委員たちは皮肉を込めて〝従順でない〟と切り捨てていた。

その原因は、ボールを蹴る尻尾の回転を制御するサウンドセンサーと、前進する機能を司る超音波センサーが、同じ場所に設置されていたためだった。サウンドセンサーが思った以上に高感度で、手をかざすために、ロボットのあとを追う候補者の足音にも反応しやすい位置にあることが、想定外の動作を引き起こしてしまっていた。

もし従順な動きを追求するなら、後ろ側に付いている、サウンドと超音波の２つのセンサーのどちらかを別の場所に付け替えるなど、設計レベルから変更しなければならない。センサーを移動させるために、一度ロボットを解体しなければならないからだ。この場合、ロボットの動作を司るプログラムも入力し直さなければならない恐れがある。残り時間はわずか。もし改良が間に合わなかった場合、ロボットがバラバラの状態で最終プレゼンテーションに臨むという、最悪の事態に陥ることもあり得る。

その最悪の事態を回避するため、サウンドセンサーを外すことで対応しようという意見が、第１チームの大勢となりつつあった。超音波センサーだけを残し、確実にロボットが動作できるようにして、〝従順〟に見せようというのが狙いだった。しかし、センサーを１つ減らせば当然、それだけロボットの機能が単純になり、大きくレベルダウンすることになる。

どちらの選択が現実的か。リーダーの油井は全員の反応を見て、サウンドセンサーを外す方針を選択することが、チームとして妥当なのではと考えはじめていた。

ロボットのセールスポイントの1つだった、サウンドセンサーを使ったシュートの動作はあきらめる。そして大規模な改良は行わない。油井の方針のもとに第1チームがまとまりかかったそのとき、ひとりの候補者が異議を唱えた。それは、第1チームのもう1人のパイロット、ゼッケン「E」をつけた大西卓哉だった。

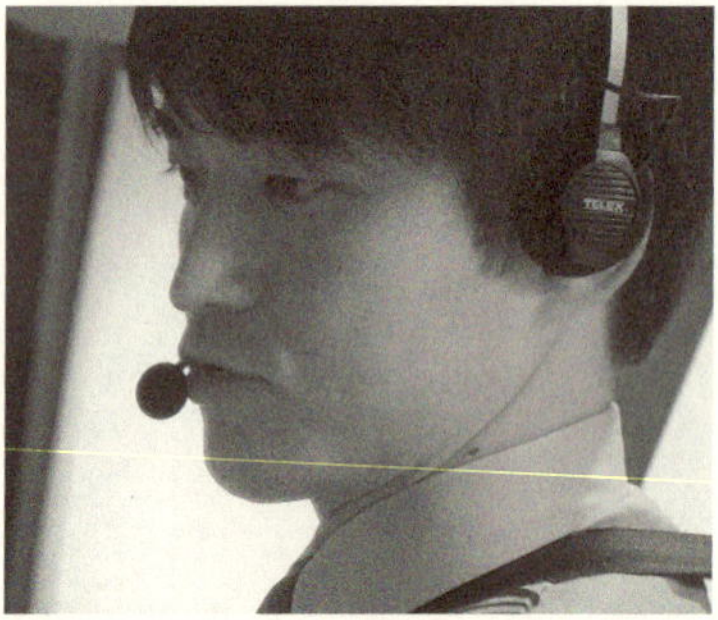
計器を見つめる大西

「シュートと言う声に反応して、実際にシュートする。そういう自由な動きが、このロボットの最大のセールスポイントですよね。そこをなくしたら、そもそもの存在意義がなくなってしまいますよ」
強く主張する大西。センサーを取って単純化するという方針に決まりかけていた中で、この大西の発言は意外なものだった。

なぜ大西は、サウンドセンサーをそのまま残し、リスクの伴う抜本的な改良にこだわったのか？

大西は次のように説明した。

「中間プレゼンテーションでは、思いっきりダメ出しを食らって、正直、途方に暮れました。でも、あのロボットのもともとのコンセプトはやはり、自由自在に動かしたいというものです。ですから、審査委員の指摘通り従順なロボットにするために、動きを制限して単純にするというのは、一番大切な部分をなくすということ。あらゆる物事には、妥協してはならないポイントがある。そこを譲ってしまうと結局、他をどんなに取り繕ったって意味がないというのが、私の考えでした」

大西はリーダーである油井に、まさに「進言」するかたちで持論を展開した。

メンバーからの進言を受けた油井は、リーダーとしての決断を迫られた。

そのときの様子を、油井は次のように語った。

「本当は私自身も、心の中に迷いがあったのです。そのとき大西さんから、大幅な改良を実施すべきだという意見具申を受けて、もう一度検討し直しました」

油井は一瞬沈黙し、他の候補者たちの反応を観察した。そして、ついに大西の主張を容れるべきだと判断した。
「わかりました。でもかなり厳しいですよ！」
大西の主張が、聞き入れられた瞬間だった。

＊リーダーシップの油井、フォロワーシップの大西

このときの油井と大西のやりとりは、危機的な状況において〝リーダーシップ〟と〝フォロワーシップ〟が見事に発揮された好例である。

油井は、限られた時間の中、チームとして取り組むべき課題の〝取捨選択〟を先導した。どれほど重要なことであっても、捨てるべきものは捨てなくてはならない。自衛隊での経験に裏打ちされた明確な姿勢が、最終的に全員の意識を1つの方向に向かわせ、議論をより建設的にしていった。

その一方で大西は、油井の整理した論点に基づき、この課題においてチームとして何が重要で選択すべきものなのかについて、自分なりに分析し、焦点を定めていた。そして、たとえ自らの主張が全体の流れに反するものであったとしても、それを主張するタイミングを間違うことなく、確実に進言している。

油井が語っているように、チームの方針の決定において自分自身にも迷いがあった。一方で大西は、自らの主張に確固たる自信を持っていた。

それまで大勢を占めていた「安全策で行こう」という意見は、ロボットが完成しないという最悪の結果を恐れるからこそ浮上したものであった。他の候補者を観察して、それがわかっていた油井は、失敗の恐れはあってもリーダーとしての責任を取り、フォロワーである大西の主張を採用すべきであると判断した。

油井は、決断の背景を次のように語る。

「失敗したことに関してはリーダーの責任で、逆に成功したことに関しては部下の手柄です。自衛隊で心がけてきましたし、今回の試験でもそれを実行しようと思いました」

他方、大西は、実際は他の候補者も自分と同じ考えであると推論していた。そしてその読みが間違っていなければ、自らの主張は聞き入れられると分析。だからこそ強く進言した。

大西は、次のように振り返る。

「口に出してみて反対のほうが多かったら、そのあと自分を押し通せたかはちょっとわからないですね。でも皆さんが目指しているところは、私の方向性と本当は一緒なのです。ただ実際、その方向に動いたときのリスクは非常に高いので、もし間に合わなかったらまずいと考えて、皆さんはちょっと二の足を踏んでいた。発言する勇気があったかどうか、ただその違いだけだと思います」

油井は「リーダー」としてチームの最終的な決断を、大西は「フォロワー」としてチームにとって必要な進言を、それぞれ確実に実行した。自らの役割と立場を正確に認識し、期待される働きをしっかりと果たしていたのである。

資質審査委員長を務めるJAXA《ジャクサ》の長谷川氏は、管制室で2人の言動を真剣な表情で見守っていた。

「GとEはすごいね。リーダーシップとフォロワーシップがきちんと分かっている」

長谷川氏はニヤリと笑いながら、こうつぶやいた。Gは油井、Eは大西のゼッケンだ。

「危機的な状況を打破するためには、誰かが強いリーダーシップを発揮しないといけない。そして問題点をひとつひとつ把握して、解決策を導き出すのがリーダーシップ。それを的確にこなしているのがG（油井）。E（大西）もチームのためと判断し、強く進言することを恐れていない。まさにフォロワーシップで、結果的にはチームの説得に成功している。意見の対立もあったが、GとEが問題の解決に向けてチームをまさに引っ張っている」

危機をいかに乗り越えるかを試されたこの課題。自衛隊でF15戦闘機の編隊長を務めた油井と、全日空で副操縦士として機長のサポートに当たってきた大西。2人は、理想的なリーダーシップとフォロワーシップを発揮し、高い評価を得たのであった。

＊「警察庁長官狙撃事件」の経験をバネに

第1グループでもう1人、優れたフォロワーシップを発揮してチームの横のつながりを強めようと努力した候補者がいた。中間プレゼンテーションで発表者を務めた、国松大介だ。

「あの時の衝撃に比べたら、今回の危機は比較にもなりません。精神的なショックがあっても、そこから立ち直る術《すべ》をあの時の経験で学びましたので」

JAXAには、宇宙飛行士選抜に挑んだ候補者963人全員のエントリーシートが残されている。その中に、国松のエントリーシートもある。私たちは本人の許可を得て、その内容を見せてもらった。エントリーシートには、学歴や職歴、専門分野、研究論文といった履歴に加え、志望動機やどんな宇宙飛行士になりたいかをアピールする項目などが並んでいる。

その中に、「過去の特殊な経験等」を書く欄があった。そこに国松はこう記していた。

「1995年3月、実父が自宅前にて何者かに拳銃で撃たれるという場面に遭遇しました。即時に119番に連絡、動揺して家を出て行こうとする母に、今出るのは危険であるから室内で

職場の中心人物である国松大介

待つよう指示するなど、私自身も驚くほど、冷静かつ迅速に対応できました」

「実父が拳銃で撃たれるという場面」は、世に言う「国松警察庁長官狙撃事件」である。国松の父親は、狙撃された警察庁の国松孝次長官（当時）だった。オウム真理教による地下鉄サリン事件が勃発し、日本中が騒然となっている1995年3月30日、警察庁のトップであった国松長官は、早朝に荒川区南千住にある自宅マンションを出た。自宅マンション前で、迎えの車に向かって歩いているその時、3発の銃弾が長官の腹部に撃ち込まれた。一緒にいた秘書室長が、瀕死の長官を病院に連れて行ったが、長官は昏睡状態に陥り、生死の淵をさまよったという。

事件の知らせを受けた国松は、当時はまだ東京大学の大学院生。自分自身、大きな衝撃を受けながらも、動揺している母親らを自身が支えなければならないと考えた。そして「私自身も驚くほど、冷静かつ迅速に対応できました」と振り返る。

その後数か月にわたり、警備という名目での監視や制約下に置かれ、大学と、父が治療を受ける病院とを往復した。国松は決して下を向かず、家族を元気づけようとした。

「どんなに辛いことがあっても、落ち込んでいては何も解決しません。上を向いていれば必ず壁を乗り越えられる、活路は見出せると、父の事件が教えてくれました」

国松の父は、奇跡的に一命を取り留め、今は通常の生活に戻っている。しかし、犯人はいまだに分からず、事件は２０１０年に時効を迎えている。

国松にとって、事件は大きな経験であった。どんな危機に直面しても冷静に、そして「自分らしさ」を失わなければ必ず乗り越えられることを学ぶことができたという。

その国松には、親しい人が落ち込みかけたときに必ずかける言葉がある。

「夜空を見てごらん。数限りなくある星々を見ていたら、今の苦しさなんて小さなことだと思えるはずだよ！」

小学生の時に父親の孝次さんから星座盤をもらったことがきっかけとなって、大好きになった宇宙。その大きさに支えられ、国松は常に前を向き続けた。そして今、その宇宙に近づこうと最終選抜に挑んでいたのである。

審査委員たちの厳しい講評で危機的状況に陥った第１チーム。モニター越しにうかがえる候補者たちの中で、最もショックを受けていたのは国松に思えた。国松は、犬型サッカーロボットのサウンドセンサーが、発表を行った自分の声に反応してしまったのだと責任を感じていた。

「あのときは正直、ショックでした。でも、次の瞬間には、『仕方がない、次を考えよう』と切り替えました」

このとき国松は、自分の力を発揮するにはどうすればいいのか、他の候補者と自身を見比べながら、果たすべき役割を考えたという。

「私の特徴は、ぐいぐい引っ張っていくリーダーシップでもなく、完全なフォロワーシップでもないと思っています。チームの向かうべき方向を見据えたうえで、チームのメンバーに自分らしく働きかけることにしました」

リーダーである油井の方針を他のメンバーにも浸透させ、チームに一体感をもたせる。国松の振る舞いに、審査委員長の長谷川氏も好印象を持った。

「G（油井）とE（大西）もいいが、D（国松）が実にうまくフォローしている。メンバーどうしの横のつなぎ役になって、チームをうまくまとめようとしていますね」

大学時代、家族が重大事件に巻き込まれるという、特殊な経験をした国松。ロボット作りの課題では、メンバー1人ひとりを気遣い、自らは明るく振る舞うことで、リーダーである油井を支え、チームをまとめようと努めた。

第１チームは、この日の残り時間を改良案の議論に費やし、実質的な作業を行う明日へ備えることにした。

＊第2チームは「全員野球」

一方の第２チーム（白壁・大作・金井・江澤・安竹）。第１チームと同様、審査委員たちの厳しい指摘への対応策を議論していた。彼らが作った「おみくじロボットうらなちゃん」。中間プレゼンテーションは、動作上のミスがなかっただけに審査委員の評価に対するショックは大きかった。

「巫女とおみくじという神道の発想は、国際宇宙ステーションにそぐわないのではないか」。さらに、「面白くない」という評価。コンセプトの根幹を問う指摘だけに、一体どのように対応すべきなのか、第２チームは困惑を隠しきれない様子であった。

「英語のおみくじを作ったらどう？」

医師の江澤が、おみくじに英語を添えようと提案した。英語で表記されていれば、アメリカの中華レストランで配られるフォーチュンクッキー同様、どの国の宇宙飛行士でも受け入れやすいはずだ。神道にもとづくとはいえ、このコンセプトを捨ててしまっては第2チームが目指すロボットの存在意義が失われるというのが江澤の考えだった。

「文化交流の一環として、巫女さんロボットが、英語と日本語両方が書かれたおみくじを配る。そういうことで乗り切ろう」。他のメンバーも江澤の提案に賛成した。

しかし、対処すべき最大の難問は、「面白くない」という指摘だ。

ここで、これまであまり目立っていなかった2人の候補者が、力を発揮し始めた。

海上保安庁のパイロット、ゼッケン「I」の大作毅。そしてベンチャー企業のサラリーマン、ゼッケン「H」の安竹洋平である。

なかなか有効な対応策が見いだせない中、安竹がおもむろに口を開いた。

「ここに新しくセンサーをつけてみたらどうかな?」

おみくじロボットに使われているセンサーは、柏手に反応するサウンドセンサーしかない。安竹は、その単純な仕様こそが審査委員たちに〝面白くない〟と指摘された原因だと気付いたのだ。

その安竹の提案に呼応するように、大作が様々なセンサーを試し始めた。もともと、おみくじロボットの動きを考案し、プログラミングしていたのが大作である。パソコンでプログラムを作っては、センサーが正常に作動するかどうかを確認した。

「センサーは使える。いけるよ、こんな感じで！」

大作は、おみくじロボットに次々とセンサーを取り付け、ロボットを動かしてみせた。センサーをはじめとした機能やプログラムの追加によって、ロボットの動きを面白くすることに第2チームの全員が賛成。安竹と大作が、チームの今後の作業に光を与えた。

残された時間はあとわずかしかない。大作はロボットに新たな動きを取り入れようと、パソコンでプログラムを作成し、おみくじロボットに入力。すぐに床の上で動きを確認した。この作業を繰り返し、プログラムに改良を加えていった。

一方の安竹は、〃癒し〃につながる新たな工夫を加えるために、おみくじロボットに「愛犬」を引き連れさせることを思いついた。そして、その犬には触覚センサーを取り付けることを提案した。

このとき、モニター越しに2人を見守っていたのが、中間プレゼンテーションで厳しい指摘をした審査委員の上垣内茂樹氏だ。

上垣内氏はこうつぶやいた。「Iさん（大作）とHさん（安竹）が頑張ってますね。2人がいないと、このチームはガタガタだったかもしれません」

第2チームもこの日は議論で締めくくり、実際の作業は明日へ譲ることとなった。

決してあきらめず、まず行動に移してみること。それが、審査委員が求めていた〝折れない心〟だった。

大作と安竹は、チームに訪れた危機の中、少しずつだが、持てる力を発揮しはじめていた。

＊10人は危機を乗り越えるか？　～最終プレゼンテーション～

1月17日、閉鎖環境試験6日目の午後4時。

ロボット作りの課題も最終日を迎え、残すところ3時間となった。

ただ、最終プレゼンテーション自体の時間もその中には含まれているため、実際にロボットを完成させるための作業時間は1時間しか残されていない。

前日、審査委員たちの指摘を受けて議論を重ねた結果を、どれだけ反映させることができるのか。

実験エリアで作業する第1チーム。製作班とプログラム班の2班に分かれ、作業をスタートさせた。油井・大西・国松の3人による製作班は、昨日の合意に基づいて、一度組み立てた犬型サッカーロボットを解体し、２つあるセンサーのうちの１つを、ロボットの前方に移し替える作業に取り組んだ。物理学者の青井とＪＡＸＡの内山の２人は、２台のパソコンを駆使し、ロボットのプログラムを修正することに集中した。

一方の第2チーム。昨日の安竹の提案で、巫女の格好をしたおみくじロボットが「愛犬」を引き連れることになり、犬の鼻の位置には触覚センサーが取り付けられた。１つしか使っていなかったセンサーを増やし、製作のレベルを引き上げようという考えだ。一方の大作は、ロボットの動きに意外性を加えるために、新たなプログラムを入力する。白壁は時間管理をしつつ、全員の作業に目を配りながらチームをまとめあげる。そして、医師の江澤と金井はおみくじロボットに、装飾となる絵を描いていった。

「それでは時間が来ました。プレゼンテーションをお願いします」

スピーカーを通じて審査委員側の指示が伝えられ、両チームはダイニングキッチンに集合した。互いのチームがどのようなロボットを作ったのか、ここで初めて見ることになる。

まず、第1チームのプレゼンテーションが始まった。発表者は中間プレゼンテーションの時と同じ、国松だ。

「我々は『スペースサッカーロボ』を作りました。可愛らしいワンちゃんの形になっております。昨日はあまりにも従順でなかったので、〝調教〟し直しました。具体的には、センサーの位置と感度を調節し、大幅に操作性を見直しました。ご覧ください」

国松の説明が終わると油井がスイッチを入れ、ロボットに向かって指示を出し始めた。

「名犬コリー行くぞ！　前、前、前……」。そう言いながら油井は、後ろ側からロボットを手で追い立てた。

超音波センサーが計画通りに作動し、前方に置かれたボールに向かって進んでいくはずだった。

ところが、ロボットはボールに向かって動く前に、尻尾をくるくる回し始めてしまった。

前回の反省に立ち、サウンドセンサーはロボットの後方から前方に移し替えていた。しかし、それでも油井たちの声に反応してしまったのだ。

場を持たせようと、油井が機転を利かせる。

「もう、シュートがしたくてしょうがないんですね！　コリーは！」

油井の〝言い訳〟は笑いを誘ったが、その後もロボットは誤作動を続けた。

「頑張れ！　頑張れ！」

第1チームの5人は、場を盛り上げながら、必死に形勢を立て直そうと努めた。しかし、結果は同じ。

結局、狙いどおりのかたちで、ボールをシュートさせることができずに終わった。

国松は苦笑しながら、最後をこうしめくくった。

「このようにまだ言うことを聞かないところもありますが、そこがまたこのロボットの可愛いところです！」

続いて、第2チームのプレゼンテーションが始まった。発表を行うのはここも同じく、中間プレゼンテーションで発表者を務めた大作だ。第1チームの5人にテーブルについてもらい、「おみくじロボットうらなちゃん」を置いた。

「日本には古来より、おみくじと呼ばれる小さな札を引いてその日の運勢を占う伝統があります。うらなちゃんはこの度、日本から国際親善大使としてやって参りました。国際宇宙ステーションに滞在する、様々な国々から集まった乗組員の皆さんに受け入れられるように、公用語の1つである英語をおみくじに追加しました」

安竹がロボットのスイッチを入れると、ゆっくりとうらなちゃんが動き始めた。審査委員が指摘した〝面白くない〟という最大の問題。それをクリアできるかどうか、第2チームのメンバーは固唾を飲んで見守っていた。

第２チームの最終プレゼン

うらなちゃんはまず、第１チームの候補者の一人の前まで進んで立ち止まった。大作の指示に従って、その候補者がうらなちゃんに英語で挨拶し、柏手を二度打つ。

「Good morning! パン、パン！」

すると、うらなちゃんの体の横に付いていた水車のような車輪が、縦に2回転して止まった。

そして候補者が、車輪に取り付けられたおみくじを引き抜いて読みあげた。

「小吉。Not so bad. Let's watch the earth for better luck. 地球でもゆっくり眺めよう。Please touch my nose! ぼくの鼻に触って！」

候補者が、うらなちゃんの連れた〝愛犬〟の鼻を触ると、新たに追加した触覚センサーが作動。愛犬がしゃべり出した。

「Have a nice day! 良い１日を！」

すると、うらなちゃんは突然、体の向きを変えた。

そして今度は猛スピードで、反対の席に座る別の候補者に向かって走り出した。自分にぶつかってしまうのではないかとその候補者が身構えた瞬間、うらなちゃんは再び体を反転させた。

そして、斜め前に座っていた別の候補者に向かって突進した。

「フェイントか!?」

第1チームのメンバーは驚きの声を上げた。モニター越しに見つめる審査委員たちも、表情を緩めている。

緩急をつけた動きで第1チームの候補者5人全員に、おみくじを配り終えたうらなちゃん。

最後に、テーブルの中央に移動。

そして、キュルキュルとタイヤの音を立てながら、右に左に急回転を始めた。大作が苦労してプログラミングした、有終の美を飾る〝ダンス〟だった。

「おーっ!」

閉鎖環境施設内に歓声が響き、驚きの声が上がった。

「素晴らしい!」「面白かったなあ〜」

全員が、うらなちゃんの完成度を絶賛した。

第2チームが全員の力で、まさに危機を乗り越え、成功を勝ち取った瞬間だった。

一方の管制室。

前日、あえて厳しい指摘をした審査委員たちが、笑顔で10人の様子を見つめていた。その手元には、採点表があった。

プレゼンテーションは、第1グループが失敗、第2グループが成功したかのように見えた。しかし審査委員たちの関心は、結果よりも危機に直面したときの個々の動きにあったようだ。問題を解決しようとリーダーシップを発揮したのは誰か。そのリーダーを、優れたフォロワーシップで支えたのは誰か。決してあきらめず、周りを励ましてチームのパフォーマンス向上に貢献したのは誰か。

審査委員たちはそれぞれの評価を書き込み、管制室をあとにした。

最大の課題、ロボット作りが終わった閉鎖環境施設の中。

夕食の準備をしている間も、プレゼンテーションの失敗を悔やむ声、成功を喜ぶ声が、スピーカー越しに管制室にも響いてくる。しかし、どの候補者の声も明るい。結果はどうであれ、1つの共通目標を皆で力を合わせて成し遂げたからだろうか。

国際宇宙ステーションで、様々な国の人たちとともに任務を成し遂げる喜び。

それはもしかしたら、この日10人が味わった達成感と同じなのかも知れない。

＊「千羽鶴」が結ぶ友情

1月17日。閉鎖環境試験6日目の課題もすべて終わった。

翌日の午後には、閉鎖環境施設から退室することになる。

しかしある課題が、未完成のままになっていた。

4日間に分けて毎日1時間ずつ行われた、「千羽鶴」の課題である。ノルマは1人100羽。10人で合計、1000羽になるはずだった。

当初、自らの早とちりで大きく出遅れた、海上保安庁のパイロット大作毅。しかしその後は着実に鶴を量産し、課題最終日までに60羽以上を折っていた。

しかし、海上自衛隊の医師、金井宣茂を除いては、誰も100羽のノルマを達成していない。

課題終了の時点で、10人が作った折り鶴は計600羽ほどしかできていなかった。

そうした中、JAXAの技術者、内山崇が他の候補者たちに声をかけた。

「千羽鶴なんだけど、何とか終わらせられないかな?」。自由時間を使って折れば、何とか千羽に近づけるのではないか。そんな内山の提案に、みなが賛成した。すでにノルマを達成している金井も、折り鶴が苦手な候補者のバックアップに回ることになった。

閉鎖環境施設内部をモニターしている管制室の電話が鳴った。候補者たちが、鶴を折る許可を求めてきた。このやりとりを、じっと見つめていた人がいた。資質審査委員長の長谷川氏だ。

「うれしいですねえ。審査は別として、最後までゴールを目指したいというチームワークが芽生えていたのですね」

10人が一丸となって、終わっていない任務の完遂を目指す。ライバルという枠を越え、まさに1つのチームとしてまとまった行動だった。

消灯の24時になるまで、10人は鶴を折り続けた。折りながら10人は、仕事のこと、家族のことなど、心の内を打ち明けあった。

1月18日、午後1時。7日間に及ぶ閉鎖環境試験が、ついに終わりの時を迎えた。1週間世話になった施設内部を10人はきれいに掃除し、私物をカバンに詰めた。

閉鎖環境施設の外には審査委員をはじめ選抜試験のスタッフが、10人を出迎えようと並んでいた。

「ギーッ！」

金庫のような分厚い扉が開かれ、候補者が一人ずつ、出てきた。

「おかえりなさーい！」

拍手で迎えられ、笑顔で手を振る候補者たち。審査委員たちと握手を交わす。

その候補者たちの胸には、折り鶴を糸で結んで作った、手作りのネックレスが下がっていた。

「みんなで鶴を折った記念です。最終的には千羽完成しましたよ！」

10人は満足そうに、胸の折り鶴を私たちに見せてくれた。

鶴には、「FX10」という10人が名付けたチーム名が書かれてあった。

「FUTURE　EXPLORER　10」。「未来を探求する10人」という意味が込められていた。

10人で折り上げた千羽鶴を、誰に手渡すか。

彼らは鶴を折った最後の晩に話し合い、「この中から宇宙飛行士に選ばれた人間が最初に宇宙飛行をするとき、一緒に宇宙へ持って行ってもらおう」と決めた。

そして、出来上がった千羽鶴の結び目のところには、1枚のメッセージカードがつけられていた。10人全員が綴った、未来の宇宙飛行士に宛てたメッセージがあった。

「初心を忘れずに　一緒に夢を追ったみんなが応援しています」(A　金井)

「みんなの夢を乗せて！　無事に帰ってきてね」(B　内山)

「疲れたら我らがうらなCHANを思い出してね　FOR BEST FRIENDS!」(C　江澤)

「あの楽しかった閉鎖環境を思い出してください。そして腕立ても……」(D　国松)

「宇宙へ飛び立つ自分もしくは仲間たちへ　エールをこめて」(E　大西)

「みんなの夢をかなえてくれてありがとう!!　いつか続けるようにみんな頑張り続けます！」(F　白壁)

「みんなが応援してるよ！　任務を成功させて無事に帰ってきてください」(G　油井)

「閉鎖環境を思い出しておもいっきり楽しもう!!」(H　安竹)

「さあ、とぶぞ　人類の未来と希望のために　頑張って」(I　大作)

「誰が飛ぶか分からないけど、あの時の輝きを忘れずにガンバレ!!」（J 青井）

宇宙飛行士としての適性を見極める閉鎖環境試験。極限のストレス環境の中、数多くの課題と戦う1週間が幕を閉じた。人生の中で二度と味わうことがないであろう、この共同生活を通じて、10人は同じ夢を追い続けてきた真の同志と、新たな友情を得たのだった。

第4章　NASAで試される〝覚悟〟

＊舞台は日本からアメリカへ

閉鎖環境施設の中で、1週間を過ごした候補者たち。体を休める間もなく、最終選抜試験の最後の舞台であるアメリカ・NASA《ナサ》に向かわなければならなかった。

行き先は、テキサス州ヒューストンにある「ジョンソン宇宙センター」だ。暗殺されたジョン・F・ケネディ大統領の後任であった、リンドン・B・ジョンソン大統領にちなんで名付けられた宇宙センターで、1961年に開設されて以来、NASAの有人宇宙開発の拠点として機能している。

センターにはスペースシャトルをはじめ、国際宇宙ステーションの主な訓練施設がある。

NASAの宇宙飛行士はもちろんのこと、日本やカナダなど、ロシアを除く旧西側諸国の宇宙飛行士もジョンソン宇宙センター近郊に住み、ここで日々訓練に励んでいる。

２００９年１月19日。成田空港に集まった10人は、閉鎖試験での疲れの様子も見せず、明るい表情を見せていた。最終試験とはいえ、幼い頃から憧れ続けてきたＮＡＳＡに行けるからなのだろうかと、私たちは推察した。

「どんな試験なんですかね。どんなこと聞かれるんですかね」

10人は、同行していた私たちに「不安だ」と口にしながらも、誰もが興奮を隠しきれない様子であった。

行きの飛行機は、成田‐ヒューストンの直行便で、私たちも同じ飛行機で移動することになった。そして偶然だが、山崎直子《やまざきなおこ》宇宙飛行士も乗っていた。

当時、山崎さんは、２０１０年４月に打ち上げられたスペースシャトル「ディスカバリー号」に乗り組むことが決まったばかりで、広報対応などのため、日本に一時帰国していた。その滞在を終え、ヒューストンに戻るところだったのだ。山崎の存在に最初に気づいたのは、トイレに行こうと席を立った白壁《しらかべ》だった。そしてその情報は、候補者の間にまたたく間に広まった。このうち数人は、トイレに行くような振りをして、自分の目で山崎さんを確かめに行っていた。そして中には、わざわざ声をかけて挨拶をした候補者もいた。

「宇宙飛行士の選抜試験を受けている、白壁と申します」。「そうですか、頑張ってください」。なんのことはない、他愛のない会話。しかしそのときの彼らは、まさに少年のようなあどけなさを見せていた。

「ふつうは声をかけないだろうに、まるで子どものようだ」。たまたま山崎さんの近くの席で、その様子を見ていた私たちは正直、そう思った。しかしその一方で、その少年のような純粋さこそが、彼らをこの宇宙飛行士の最終選抜試験まで引っ張ってきた原動力なのかも知れないと感じていた。

＊なぜNASAで試験するのか

10人が降り立ったのは、ヒューストン郊外にあるブッシュ国際空港。バスで出迎えられ、1時間ほどで宇宙センターの近郊にあるホテルに到着し、長旅の疲れを癒した。

一夜明けた現地時間の翌20日。JAXA《ジャクサ》のヒューストン駐在事務所が、10人にNASAでの最終試験に向けたオリエンテーションを開いた。説明に立ったのは、土井隆雄《どいたかお》さんと、星出彰彦《ほしであきひこ》さんの2人の宇宙飛行士。10人の宇宙飛行士としての適性を測るため、NASAはロボットアームや宇宙遊泳の技量試験、それにベテラン宇宙飛行士たちによる面接などを用意していることが伝えられた。

ＮＡＳＡでの選抜試験は、ＪＡＸＡがＮＡＳＡに依頼して実現したものだ。有人宇宙開発で40年以上の歴史を誇り、人類史上唯一、月に人を送り込んだことのあるＮＡＳＡは、通算で300人を超える宇宙飛行士を選抜、採用してきた。どのような人間が宇宙飛行士に適しているのか。豊富な経験とノウハウを持つＮＡＳＡであれば、10人の適性をより正確に測ることができる。その結果は、閉鎖環境試験などとともに重要な判断材料になる。特にロボットアームの操作や宇宙遊泳など、宇宙飛行士として不可欠な活動への適性は、日本では測りきれないのが現状だ。

そして何よりも、ＮＡＳＡが〝気に入る〟候補者を採用しないと、採用の意味がないといっても過言ではない。日本の場合、前述のように２００９年までに日本の実験棟「きぼう」が国際宇宙ステーションに取り付けられて完成したことを受け、３年間に２人の日本人宇宙飛行士を、国際宇宙ステーションに半年間、滞在させることができるようになった。これはアメリカやロシアなど世界15か国の間で結ばれた国際協定によって保証されている、日本固有の権利だ。

日本は、人を宇宙に定期的に送り込む枠を得た。しかし、それでもＮＡＳＡの意向は無視できない。採用した宇宙飛行士を訓練し、育てるのはＮＡＳＡだからだ。このため、現実的にはNASAの了解と支援がないと、日本人が宇宙に行くことは難しい。

NASAも認める候補者は誰か。それを知る上でも、NASAまで出向き、試験をしてもらうことは非常に重要な意義を持つのだ。

＊宇宙遊泳はできるか

1月21日、午前8時。いよいよ試験が始まった。面接、ロボットアーム操作、宇宙遊泳の3つの試験が並行して行われることになり、まずは3人が呼び出され、それぞれが指定された最初の試験会場に向かった。

初日のトップバッターの1人が白壁だった。彼が向かったのは、宇宙遊泳の試験場。宇宙遊泳は、専門用語ではEVA（＝Extra Vehicular Activity）と呼ばれ、日本語では「船外活動」と表現される。宇宙飛行士にとって花形の任務だが、体力、手先の器用さ、コミュニケーション能力の高さ、そしてパニックに陥らない精神力などが必要とされ、限られた人間しか任されることのない難しい任務とされる。

試験場は、「ビルディング9」と呼ばれる巨大な建物の中にあった。ジョンソン宇宙センターは、すべての建物に番号をふっている。センターには大小あわせて、150もの施設がある。

このうち「ビルディング９」は、航空機を格納するハンガーのような箱形の広い建物だ。中には「モックアップ」と呼ばれる、スペースシャトルや国際宇宙ステーションの実物大の模型が設置されている。宇宙飛行士はここで、シャトルやステーションでの作業や緊急脱出の訓練などを行う。

ビルディング９にあるスペースシャトルの模型

試験は、ＮＡＳＡが開発を進めている「ＰＯＧＯ」と呼ばれる装置で行われた。ＰＯＧＯは、無重力状態シミュレーターで、微小な重力しかない環境を再現するための装置である。ＰＯＧＯは、人をワイヤーで宙づりにすることで、宇宙遊泳の感覚を生み出している。候補者はまず、特殊な形状をしたリュックサックを背負う。このリュックサックは、両腕だけでなく両足も通せるようになっており、背中には金具がついている。この金具にワイヤーを取り付けて候補者を高所から吊り下げ、地上から１メートルほどの高さのところで浮き続けるようにする。

この装置は、体を不用意に傾けすぎたり、動かしすぎたりすると、姿勢を維持できなくなる仕組みになっている。また、候補者を浮かせておく高さも、地上に手が届くか届かないかぐらいの微妙な距離のところで設定されている。

宇宙空間で体を動かすと、重力がほとんどないため、体が思わぬ方向に流れていったり、回転し続けたりしてしまう。一度かけた力は、慣性によってそのまま作用し続けるため、体を何かにつなげていないと宇宙空間に放り出されることになる。

このため船外活動をしている宇宙飛行士は、腰にテザーと呼ばれる命綱をつけている。命綱の紐の先には、大きなカラビナ（物どうしをつなぐ役割をする鉄の輪）がある。国際宇宙ステーションの外壁には各所に手すりがあり、飛行士はこの手すりにカラビナをくりつけて、自分の体が宇宙に流れていくのを防いでいる。船外活動で場所を移動するとき、宇宙飛行士たちはテザーのカラビナを手すりから取り外し、手で国際宇宙ステーションの外壁を、慎重につたいながら進んでいく。この間、カラビナを取り外したりくくりつけたりを繰り返して、万が一の事故に備えているのである。

そうした事故の防止対策をしながら、本来の任務である、特殊な工具を使った作業も行わなければならない。船外活動の目的は、宇宙ステーションなどの構造物の組み立てや、整備などである。宇宙ステーションの乗組員は、いわば宇宙の〝大工〟でもあるのだ。

ネジの開け閉めや配線の結合、それに油を差す作業、部品の設置・交換、そして修理等々、限られた時間で確実に行わなければならない。当然、宇宙服で携帯できる酸素の量は限られている。脱ぐ時間などを考慮に入れると、船外活動では一回当たり、６時間から７時間程度しか作業できない。また、１人で行う作業も少なくない。このためトラブルが起きたときは、各自で地上の管制官へ、状況を慌てることなく的確に説明して指示を仰ぎ、その指示を正確に理解して自ら解決しなければならないのである。

こうした船外活動の難しさを地上に再現したのがＰＯＧＯで、船外活動への適性を測ることができる装置なのだ。

白壁はまず、ＮＡＳＡの担当者から握手を求められた。笑顔でがっちりと握り返し、自己紹介を済ませると、ＮＡＳＡの担当者はいきなり試験の説明を始めた。私たちはその一部始終をカメラで撮影していたが、日本人だからゆっくり話すといった配慮は一切なく、逆にわざと早く説明しているようにも感じられた。

もちろん、白壁にとってはすべてが初見である。そんな彼に、ＮＡＳＡの担当者は工具やリュックサック、それに体を固定するためのカラビナなど、道具の説明を矢継ぎ早に行っていく。説明の時間は、全部で10分程度。装置の仕組みを正確に理解して試験に臨むためには、あまりにも短いように思えた。

それもそのはず、NASAはわざと説明を短く、そして不十分とも思えるようなレベルで済ましていたのである。のちの取材で明らかになったことだが、試験では、「初めて遭遇した事態を的確に理解し、素早く対応できるか」といった能力も見ていたのだ。

白壁はリュックサックを背負わされ、装置の中に招かれていく。10メートル間隔で立てられた高さ6メートルほどの2本の支柱が、最上段で鉄製の棒でつながっており、そこには2本の柱の間を端から端まで移動できるように滑車が取り付けられていた。その滑車から、白壁を吊るすためのワイヤーが垂らされていた。

装置に吊るされる白壁
NASAの試験官たちは、白壁が背負ったリュックの金具をワイヤーに取り付けた。白壁の体重に基づき、ワイヤーの張力がコンピューターで調整され、白壁は宙づりになった。
すべての準備が終わると、NASAの担当者は白壁に、体のバランスをうまく取りながら、カラビナを効果的に使い、10メートル先に設置されたパネルまで行って、工具でのボルトの締め付けやホースの脱着、さらに部品を交換するように求めた。

その作業に与えられた制限時間は30分。10メートルの道のりの間には、手すりだけでなく、低い壁などの障害物が点々と置かれている。白壁は、これらの障害物を短時間でうまく乗り越え、本来の任務であるボルト締めなどの作業を制限時間内に終えなければならない。

最初は笑顔だった白壁も、試験が進むと緊迫感のある真剣な表情に変わっていった。汗も大量に吹き出していた。というのも、思った以上に体のバランスを取るのが難しいからだ。また実際に試験を始めると、カラビナの使い方や、腰にぶら下げた工具袋からの工具の取り出し方、更には作業の進め方で説明を受けていない点が多いことが分かった。

自分が感じた疑問を、試験官たちに尋ねていいのか。白壁は当初、迷ったという。しかしある出来事を思い出し、聞くことを決心した。それは２００８年11月、船外活動をしていた宇宙飛行士が、工具袋を宇宙に〝落として〟しまったトラブルだ。ＮＡＳＡの宇宙飛行士が、工具袋をテザーで固定せずに手を離してしまった結果、宇宙空間に流れていき、回収不能になったのだ。

工具を落としたりすれば、最も問題になるのではないか。そう考えた白壁は、試験官たちに積極的に質問することにした。「カラビナはどこにかけたほうが良いですか」「移動中、工具はどのように扱えばよいですか」。そうした質問に対し、試験官たちは詳しく答えてくれたという。

白壁は試験が終わったあと、次のように感想を述べている。

「英語で矢継ぎ早に使い方とか言われるじゃないですか。使ったことのない工具ですし、まずいと最初思いました。でも、聞けばいいのだと途中で分かって……。だから聞きながら作業して、あとは工具を落とさないように注意しました。この前のミッションでも、工具を落とした宇宙飛行士がいましたけど、それだけはしないように確認しながら1つひとつ作業を進めました」

白壁は、制限時間内にすべての課題をクリアすることに成功した。彼はこの試験の狙いの1つが、「的確な状況判断に基づく行動ができるか」を見極めようとしていることを感覚的に見抜いていたのであろう。そして、〝質問する〟ことが正しい状況判断を下すために必要なことだと考え、質問しながら確実に作業して結果を出すことができたのである。

＊あの油井が苦戦

一方、自衛隊の油井亀美也《ゆいきみや》は、ＰＯＧＯで思わぬ苦戦をしていた。閉鎖環境で発揮した能力の高さが極めて印象的だっただけに、油井の苦しむ姿は私たちにとって驚きであった。課題を見守っていた私たちの印象だが、油井の作業の１つひとつが緩慢に見えた。テザーや工具を扱う動作も、どこかぎこちない。そしてその印象は、課題の最後まで変わらなかった。

終了後、油井に感想を求めると、次のように答えた。

「まったく知らないことを、準備も出来ずにいきなりやれと言われるのは非常に厳しいと思いました。言葉も分からない、道具についてもいろいろ分からないところがあって……」

38歳で幼い頃からの夢に挑戦することになった油井。決して夢をあきらめず、明確な目標設定をした上で、それを達成するために何ができるかを考えて努力をし続けてきた人間だ。閉鎖環境試験では、「何を見られているのか」「自分は今、何を求められているのか」を的確に分析して、試験をする側の狙いをも見抜いていた。そしてその狙いに応えるよう、計算して行動していた。何よりも驚きなのは、リーダーシップ、チームワーク、ディベート力……宇宙飛行士に必要な能力としてＪＡＸＡが試験で見極めようとしていた能力のいずれについても、まるで予見していたかのように自衛隊生活を通して、徹底的に磨き抜いていたことだ。だからこそ、油井がＰＯＧＯで苦戦する様子はあまりにも意外だった。白壁や大作ら、油井と同じパイロットの候補者は皆、器用に試験をこなしていただけに、驚きは一層大きかった。

＊ピンチで明らかになる油井の真の力

しかしその一方でＰＯＧＯは、油井の強さの秘密を明らかにもした。

油井の場合、技量的に不十分で、言葉があまり理解できない不利な状況におかれても、冷静に行動することで、一定の結果が出るように振る舞うことができていたのである。

試験を終えた油井は、象徴的な言葉を語っている。

「結果ですか？　どうですかね。いくつも間違えましたし、何回も聞き直しましたので。ただ、不明確のまま作業を進めるようなことはしなかったので、そのあたりが評価してもらえればなと思っています」

この油井の発言で注目すべきなのは、「不明確のまま作業を進めるようなことはしなかった」と述べた部分だ。すなわち彼は、この試験の場合、不明確のまま進めることが最も問題であることに気づいていたということである。

　事実、試験では、状況を的確に判断する能力のほかに、コミュニケーション能力、そして作業の正確さも、重要な評価項目として設定されていた。つまり、制限時間が設けられていたことから一見、重要に思えた「作業の速さ」は、厳密にはそれほど求められていなかったのである。

　つまり、制限時間内に作業を終えさえすれば問題はなく、むしろ焦って、課題に対する理解が不明確のまま臨み、曖昧な行動をとることのほうが問題だったのである。それに気づいていた油井は、言葉に多少の不安を抱えながらも、試験官たちとコミュニケーションを取りながら、１つひとつ作業を確実にこなしていった。

　実際、油井の動きは緩慢でぎこちなく見え、決して器用ではなかったが、結果的には制限時間の30分内で与えられた課題を終えている。

　すなわちこの試験は、必要な情報を得ることさえできれば、技量的にはぎこちなくても十分にクリアできるように設計されているのである。そして油井はこのことを、自ら証明していた。

　他の候補者の中には、慣れない状況に焦るあまり、課題に対する理解が不明確のまま試験に挑み、課題を制限時間内に終えられない者もいた。

そうした中、油井が行った判断や行動は、一方で彼の本当の強さ、すなわち初めてのことであっても焦ることなく、できることだけを確実にやる堅実さを示していた。

油井は〝天才〟というよりも、努力で夢を掴む人。POGOを通して、私たちはそう感じるようになった。

＊NASA宇宙飛行士面接

POGOの試験の一方で、NASAによる面接も進んでいた。

試験2日目の1月22日、午前8時。理化学研究所に勤める物理学者で、10人の最終候補者の中でも最年長の青井考《あおいのり》が案内されたのは、ジョンソン宇宙センターの北東部にある、低い建物群の一角だった。

平屋建ての建物は、外壁が白く塗られており、ヒューストンの強い日差しをまるで鏡のように照り返していた。一体、何の建物なのか、外から窺い知れるような表記はなく、入り口の横に「226」という番号しか記されていない。

青井が中に入ると、女性秘書2人が机に向かって忙しそうに作業をしているのが見えた。

青井に気づくと、2人は顔を上げ、笑顔で「Hｉ！」と短く声をかけた。青井は頭を軽く下げ、笑顔で応えていたが、緊張していたのかその表情はどこかぎこちなく見えた。

建物の中は、執務室のようだった。木目調の壁には、スペースシャトルの打ち上げの光景を美しく捉えたポスターなどが、ところどころに飾られている。古い新聞記事も、額に入れて飾られていた。記事のタイトルは、「新世代の宇宙船スペースシャトルに乗り組む宇宙飛行士、初めて採用される」。今から30年以上前、スペースシャトルがまだ開発中だったころの記事だ。

所在なげに立っていた青井のもとに、1人の小柄な、白髪のアメリカ人男性が近づいてきた。

「ノリ・アオイ？　おはよう！　私の名前はデュウェイン・ロスだ。朝早くにここまで来てくれてありがとう！」

ロスと名乗った男性は、笑顔で青井に握手を求めてきた。

青井が手を握り返すとロス氏は、この建物はＮＡＳＡの「宇宙飛行士室」の執務室であり、そのメンバーが今日の面接を行うことになると説明した。

このデュウェイン・ロス氏、実はＮＡＳＡの宇宙飛行士採用部門の責任者だ。いわば人事部長であり、ＮＡＳＡの宇宙飛行士採用活動を指揮していた。

そのロス氏は、ＮＡＳＡでは伝説の人とされている。彼は32年前、ＮＡＳＡがスペースシャトルに乗り組む宇宙飛行士たちを初めて採用した試験から今回まで、すべての採用試験に携わってきたからである。

飾られていた古い新聞記事を読み込んでみると、なるほどロス氏のインタビューが掲載されている。

ロス氏は青井に、試験について簡単に説明した。そして最後に、「準備ができたら、また呼びにくるよ」と明るく言い残して戻っていった。

5分ほど経っただろうか、青井は面接に来るように呼ばれた。建物奥にある面接室に向かう青井。私たちも、そのあとをぴったりと追う。

部屋に入ると、コの字形のテーブルにロスを含む7人の男女が座っていた。まず目に入ったのは、机の上の〃賑やかさ〃だ。キャンディーがたくさん入った大きな瓶、それにコーヒーがなみなみと注ぎ込まれたマグカップなどが、そこかしこに置いてある。あまりにも乱雑で、「幼稚園児の机か!」と突っ込みたくなるほどの賑やかさだった。

さらに面接官の中には、ガムを嚙んでいる女性もいた。その嚙み方は妙に堂々としている。

みなリラックスしたというよりも、言葉は悪いが弛緩《しかん》したような雰囲気で、面接とは思えない光景であった。

しかし、面接官たちは錚々《そうそう》たるメンバーであり、顔つきを見ると目だけは鋭くギラギラしていることに気がつく。

ロス氏とともに、部屋の奥の中央に座っていたのは、NASAのすべての宇宙飛行士が所属する「宇宙飛行士室」の室長（当時）、スティーブン・リンゼー宇宙飛行士。4度の宇宙飛行を経験した、元空軍パイロットだ。

一方、ガムを臆面もなく噛み続けていたのは、NASA宇宙飛行士室の副室長、スニー・ウィリアムズ氏。195日間に及ぶ宇宙での長期滞在で、女性としての世界記録を持つ。

もう1人いた女性宇宙飛行士は、ステファニー・ウィルソン氏。3度の宇宙飛行の経験者で、今年4月、山崎直子さんとともにスペースシャトル「ディスカバリー号」に乗り組んだ。そして、日本人宇宙飛行士の土井隆雄さんも参加していた。

青井は、コの字形のテーブルの右側の真ん中、土井さんの隣に座るよう勧められた。ロス氏やリンゼー氏のほうに体を向けて話すと、土井さんに完全に背を向けるかたちになってしまう。日本の一般的な面接のように、面接官と受験生が対峙するのではなく、まさに会話の

NASAの面接を受ける青井（右列奥）

ように、周囲に気を配りながら話すことが求められていた。

まず声をかけたのが、リンゼー氏だった。

「ノリ・アオイ？　NASAへようこそ。私の名前はスティーブン・リンゼーだ。まず、君はなぜ、今ここにいるのかを、教えてくれるかな？」

面接を見守っていた私たちにとって、その質問は意外に聞こえた。リンゼー氏は、「どうして宇宙飛行士になりたいのか」ではなく、「なぜ今、ここにいるのか（= Why are you here, What brings you here?)」と問うたからである。

言葉を選びながら、懸命に応える青井。その姿を見る宇宙飛行士たちの視線は、痛いほど鋭かった。室内の雰囲気は一変して独特の緊迫した空気が流れ、私たちは逃げ出したくなるような感覚に襲われた。

＊聞きたいのは〝人生の物語〟

ＮＡＳＡの面接は、候補者の〝人生〟を知ろうとしていた。

面接を終え、部屋から出てきた青井。はにかみながら私たちに話した。

「面接で何が聞かれるのかを想定して臨んだのですが、だいぶ掘り下げられて、ほとんど準備していたものではない内容を答えさせられていました」

最終試験まで残った候補者の中でも、最年長である青井。世界的にも名高い「仁科加速器研究センター」の研究員で、原子核物理学の研究者としてアメリカなど世界各国の研究者でつくる国際共同研究チームを率い、数々の研究業績を上げてきた実力者だ。その彼から私たちが受けていた印象は、経験と実績に裏打ちされた聡明さと堅実さがにじみ出ている人物であるというものだ。課題を着実にこなし、自らに求められている役割を的確に把握して淡々と行動する姿は、目立たないものの、審査委員からも高い評価を受けていた。その青井が、「準備しきれなかった」という面接。一体、どんな面接だったのか。

青井はまず、高校時代からの自分について話すよう、求められたという。そして随所で、面接官たちから質問が入ってきた。

「たとえば研究の話をしていたら、研究の内容だけじゃなくて、その研究を行うスタイル、そして研究で直面した困難、それをどう解決したのかについて、掘り下げられました」

そうした掘り下げは、私生活にも及んだ。

「仕事にしても、プライベートにしても、どのような人間関係を築いてきたのか。どういう人間関係が良い関係だったか。逆に、悪い人間関係とはどのようなものだったか。その悪い人間関係は、どう改善すれば良かったのか。これらについて、自分の体験を答えるよう求められました」

日本の面接試験では、趣味や特技について、人間関係の構築という観点から聞かれることはそう多くはないはずだ。大学時代はスキー部に所属し、セーリング、水泳、サイクリング、ピアノと多趣味の青井も、これまでとは別の観点、すなわち「なぜその趣味をはじめたのか、そこから何を得たのか」について話すように求められたということだ。

こうした質問の仕方は、すべての候補者に共通していた。候補者に自らの人生について語らせ、その時々に下した決断について、その内容や理由を尋ね、掘り下げていく。どのような人間関係に支えられ、今の自分があるのか。なぜ、これまで築き上げてきたキャリアを捨ててまで宇宙飛行士になりたいのか。リラックスした雰囲気の中、詳しく問い詰められたのだという。

面接を主導したリンゼー氏は、次のように説明する。

「我々は、技術的な経験もさることながら、チームとして活動できる能力、そして誰とでも仲良くなれる資質、また、必要な時は指導力を発揮し、場合によっては誰かに従う能力のある人を探しています。その力がある人物なのかを見極めるためには、個々の候補者の〝本質〟を理解しなければなりません。誰にも人生の物語がある。その物語を聞くことで、候補者が成長してきた背景を理解し、また、どのような選択をしてきたのかを質問することで、その人の〝本質〟を理解することができます」

＊宇宙飛行士の〝現実〟

リンゼー氏の言葉から、ＮＡＳＡの面接は、候補者のこれまでの〝生き様〟を知ることにこだわっている様子がうかがえる。しかしそれには、宇宙飛行士という職業ならではの理由がある。

アメリカでは、宇宙飛行士の候補者として採用されたものの、一度も宇宙飛行を経験できずに〝引退〟する人も少なくない。本人の適性の問題もあるが、スペースシャトルなどの宇宙船に乗り組む機会は限られている。競争が激しく、飛行の機会を待っている間に、別の道へ踏み出す人も多い。

こうした状況を指して、「宇宙飛行士は待つのが仕事だ」と語ったＮＡＳＡ関係者もいた。宇宙飛行の機会は、自分ではどうすることもできない。いつか自分のもとに舞い込んでくるのを辛抱強く待ち続けなければならないのだ。それまではひたすら、技量を上げるための訓練と健康管理の日々である。

また、宇宙飛行士に選ばれると現在の仕事は辞め、日本人であればＪＡＸＡ、アメリカ人であればＮＡＳＡに〝転職〟しなければならない。しかし、宇宙飛行士が宇宙で実際に仕事をするのは、キャリアの中でほんの短い期間に過ぎない。すなわち宇宙飛行に向けた、徹底した訓練と健康管理が、主な〝仕事〟になるのだ。当然、それまでのキャリアは捨てざるをえない。

特に日本の宇宙飛行士の場合、生活環境が激変する。生活の基盤を、ジョンソン宇宙センターに置かなければならないからだ。宇宙飛行士であり続ける限り、アメリカ・テキサス州のヒューストンで過ごし続けなければならないのである。

その意味で、本人よりも劇的な変化にさらされるのは、家族であると言える。子供がいれば転校せざるを得なくなり、将来の進路も大きく変わる可能性がある。

また前職が、午前9時から午後5時までが就業時間の、一般の会社員や公務員であれば、家族と過ごす時間も、圧倒的に少なくなる。国際宇宙ステーションへの滞在に向けた訓練は、日本やロシアなど、参加各国で分担して行われるため、宇宙飛行士は文字通り、世界中を飛び回ることになり、数か月単位で海外出張することも少なくない。

さらに、日常生活やあらゆる行動は大きく制約される。家族も例外ではなく、宇宙飛行士本人とは程度の差こそあるが、同じように制約される。宇宙飛行士の言動に、四六時中マスコミが注目しているからだ。不用意な発言や行動をしないよう、常に気を遣う必要がある。

宇宙飛行士の世間体《せけんてい》がいかに重要とされているかは、それへの訓練まで用意されていることが物語っている。その名の通り「メディア訓練」と呼ばれ、ＪＡＸＡやＮＡＳＡが実施している。ジョンソン宇宙センター内で、突撃インタビューといったかたちで、まさに不意打ちで行われ、カメラを前にしたときの対処法や注意すべき発言内容を、実地で叩き込まれる。

何せ宇宙飛行士は、最大の〝広告塔〟だ。莫大な予算のかかる有人宇宙開発の正当性を主張するために、宇宙飛行士を最大限に利用しない手はない。このため、日本にも定期的に帰ってくることが求められており、分刻みのスケジュールで政府関係者や国会議員を表敬訪問し、笑顔を振りまく必要がある。メディアの取材や質問に、笑顔でそつなく答えることもまた、宇宙飛行士として果たすべき重要な任務なのである。

しかし、何よりも宇宙飛行士になって、劇的に変化するのは、「職務で死ぬ」確率だ。

宇宙飛行士は、危険と常に隣り合わせだ。スペースシャトルで死亡事故が起きる確率を計算してみれば、いかに命がけの仕事であるかがわかる。

シャトルはこれまで、132回、打ち上げが行われている（２０１０年5月現在）。そしてこのうち2回、１９８６年と、２００３年に死亡事故があった。これらを合わせて、14人の乗組員全員が命を落としている。

世界最先端の有人宇宙船と言われるスペースシャトルでも、死亡率は66分の1だ。すなわち、66回の打ち上げで1度は必ず失敗し、死亡してしまうという計算だ。事故率が100万分の1とも言われる航空機と比べると、あまりにも高い。

時には10年という長い年月を家族とともに耐え、ようやく宇宙飛行のチャンスを得たとしても、飛行中の事故で死亡して二度と家族のもとへ帰ってくることができない可能性がある。

人類が月面に到達してすでに50年近くが過ぎたが、宇宙飛行はいまだ〝命がけの冒険〟であり続けている。その厳しい現実に直面しながら、それでも笑顔を振りまいて夢をあきらめずに宇宙を目指すというのが、宇宙飛行士という「職業」なのだ。

スペースシャトルの船長を務め、４度の宇宙飛行を経験したリンゼー氏もこう語る。

「もし、〝世界で一番魅力的な肩書き〟だから宇宙飛行士になりたいのであれば、実際にここに来てからは辛《つら》いでしょうね」

＊本当に問いたいのは〝覚悟〟

過去に多くの宇宙飛行士を採用してきたＮＡＳＡ。その中には、不倫の末にストーカーになり、恋敵を車で追いかけ回して警察に捕まった女性飛行士もいた。世界をリードするＮＡＳＡも採用は完璧ではなく、まさに〝痛い目〟にあってきた歴史がある。

ＮＡＳＡは、そうしたある意味〝貴重な〟経験を通して、面接こそが採用において最も重要であると結論づけたようである。候補者がリラックスして話ができる環境をつくり、若いころからの〝生き様〟を詳しく聞くことで、果たしてその人間が信用に値するのか、また本当に心の底から宇宙飛行士になりたいと思っているのか、そしてもし宇宙飛行士になったとき、現実に決して幻滅することなく任務をこなすことができるのかを、見極めようとしているのである。

NASAの場合、何か特別な医学的問題でもない限り、ほぼ面接だけで採否が決まるというシンプルな採用試験を行っている。つまりNASAとしては、技術的な専門知識や、航空機などのメカを操縦する技量など、宇宙飛行士として必要な技術的バックグラウンドは、その候補者の履歴書と、面接でのやりとりで十分見極められると考えているのだ。

これは、日本とアメリカの宇宙開発の規模、歴史、そして方針の違いをよく表している。日本の場合、選抜試験で採用した人間は全員、宇宙飛行士になり、宇宙飛行しなければならない。途中でやめたり、医学的に不適格になったりすることは許されない。それは、宇宙飛行士の育成には億単位の税金がかかるからで、投資を無駄にしないためにも、確実に宇宙へ行くことができる候補を採用しなければならないのだ。そのため必然的に、採用試験は極めて厳密なものとなり、審査項目が仰々しいまでに多岐にわたってしまうのである。

一方、アメリカの場合、前にも述べたように、宇宙飛行をする前に宇宙飛行士を〝辞める〟人間もいる。医学的、精神心理学的特性など、日本と同様に厳密に審査している項目も少なくないが、結果的に最も重要になるのは、本人やその家族が、宇宙飛行士としての人生を全うする「覚悟」が本当にあるかどうかなのである。

その意味で興味深いのは、リンゼー氏が、「候補者たちには、NASAが自分と家族の人生をかけるべき場所かどうかを、試験を通して逆に見極めてほしい」と語っている点だ。

「私たちが候補者を面接するのと同時に、候補者が私たちを面接して、宇宙飛行士の仕事とは何なのか、リスクは何か、どんな見返りがあるのか、そして宇宙飛行士としての人生とはどのようなものなのか、それらを理解した上で、それでもやりたい仕事なのかを考えてもらうことが重要なのです」

リンゼー室長

NASAを実際に訪れて施設や人に触れ、自分が本当にここで働きたいか、今後の人生を過ごしたいかをもう一度真剣に考えてほしい。考え抜けば、単なる憧れなのか、それとも本当に歩みたい人生なのか、自分の進むべき道が見えてくるはずだと、リンゼー氏は言うのである。

「面接では、候補者がリラックスして答えられるよう心がけている」。NASA宇宙飛行士室長のリンゼー氏は、私たちにそう説明していた。

会議形式だったり、机の上にキャンディーやコーヒーが置いてあったり、さらにはリンゼー氏ら面接官の格好がポロシャツにスラックスだったりと、面接らしからぬカジュアルさが随所に見られたが、いずれも候補者の緊張を和らげるために意識的に行っていた演出だったようだ。

だが、面接室の中の空気は緊迫していた。そして面接時間は、1人あたり45分。こんな緊迫した空気の中で自らの人生について語り、今まで考えもしなかったようなことについて英語で答えなければならないのか。候補者数人の面接に同席し、そのやりとりを目の当たりにした私たちは、これほど厳しい面接はこの世にないのではないかと感じるようになっていた。しかし、10人の候補者の中で、緊迫した空気を一気に和ませ、面接官たちの心を動かし、面接の流れを自らのペースに一気に引き込んだ候補者がいた。

最年少の安竹洋平《やすたけようへい》。

彼がある古びたノートを取り出して見せたとき、面接官たちの表情が変わった。

＊独学で英語力を磨いた安竹

安竹は、東京・昭島市にあるベンチャー企業の技術者だ。

その安竹の経歴は、私たちに〝異色〟と映った。パイロット、医師、素粒子物理の研究者、そしてＭＢＡを持つビジネスマン。錚々たる経歴の彼らが、最終候補者まで残り、ＮＡＳＡの試験にも対応できるような「英語力」があるのは当然に思えた。しかし、安竹の場合はどうだろうか。

私たちが、安竹の職場を初めて訪ねたのは、２００８年12月だった。当時私たちは、候補者１人ひとりの職場や家庭を訪れ、その様子を撮影していた。

従業員は16人。安竹は私たちを、明るいカーキ色の作業ジャケットに、足下はスリッパという姿で迎えてくれた。

ハイブリッド車の好調な売れ行きに象徴されるように、今、脱石油、そして環境配慮型技術への転換が主流となっている。その中でキャパシタは、高効率、かつ、半永久的に使える電池として大きな可能性を持っているとされる。安竹は日夜、その実用化・商品化に向けて奮闘している。

その安竹の職場に、外国人はいない。そこで、「仕事で英語を使うことはあるのか」と尋ねると、「海外の技術情報などを読むときに使うことはあるが、それ以外はほとんどない」という。海外滞在や留学の経験もないようだ。

どう見ても、普通の技術系サラリーマンである。その彼がなぜ、高い英語力が求められる、最終候補者の1人にまで残ることができたのか？

職場の撮影を終えた私たちは、1人暮らしをする安竹の自宅にもお邪魔した。志望動機などのインタビュー取材を行ったあと、私たちはどうやって英語を勉強しているのかを尋ねてみた。

すると彼は、「あまり勉強してないですよ」と笑いながら次のように答えた。

「パソコンで、アメリカのテレビドラマや人気アニメとかを、ひたすら見ています。気になる表現はネットでその都度、調べて。何度も聞いていると、自然と聞き取れるようになるし、その表現を使ってしゃべれるようになりますよ」

＊安竹の原点

安竹が宇宙飛行士を明確に目指すようになったのは、高校生のときだった。そのきっかけをつくってくれたのが、高校時代の物理の教師、森雄児《ゆうじ》先生だ。森先生が、安竹にあるビデオ映像の翻訳を持ちかけたことが、安竹に〝宇宙飛行士〟という夢を意識するきっかけを与えてくれたのだ。

２００９年１月４日。閉鎖環境試験が始まる１週間前、安竹は、最終候補の１人に残っていることを報告しようと森先生の自宅を訪れた。

森先生は当時を、次のように振り返った。

「地球で測るモノの重さと、モノの〝質量〟の違いを生徒たちに分からせたいと思って、ＮＡＳＡのケネディ宇宙センターで教育用のビデオを何本もダビングして持ち帰りました。しかし私の語学力では、内容を全部は理解できなかった。安竹君がビデオに興味を示したので、『翻訳、やってみる?』と持ちかけたのです」

当時、高校2年生だった安竹は、間髪入れずに「やります!」と答えたという。

「ＮＡＳＡの好きな映像が、たくさん出てくるのでわくわくして。だからぜひやらせてもらいたいと思って引き受けました。それに、森先生が『できないんじゃないか』とちょっと思っている感じだったので、ギャフンと言わせてやろうという気持ちもありました」

ビデオを借りた安竹は、学校から帰宅すると毎日2、3時間をかけてその翻訳に挑戦した。ビデオの音声をカセットテープにダビングして、テープを繰り返し聞いた。分からないところは巻き戻して聞き、聞き取った単語を辞書で調べて、1週間がかりでビデオをすべて訳した。それを1つのノートにまとめ、森先生に提出したという。

そのノートは、森先生の自宅に今も大切に保管されていた。

「訳はこれじゃない？」

森先生がノートを安竹に手渡した。

「あー、懐かしい！　すごい！」

ノートは40ページほどあった。表紙にはスペースシャトルの絵が描かれ、翼やコクピットなど、各部が英語で丁寧に解説されている。中を開くと、ビデオの訳がびっしりと書かれていた。

森先生は明かす。

「実は渡してから、後悔したんです。ビデオの中の英語はとにかく早口で、専門用語ばかり。荷が重いのを渡してしまったのではないかと心配になりました。でも彼は途中で挫折せずに、やり遂げてくれました。まさかここまでできるとは思わなかったので、とにかくびっくりしました」

実際、ビデオの内容は難解だ。スペースシャトルの仕組みの解説からはじまり、宇宙での生活の様子、それに宇宙実験の内容などが、専門用語を使って詳しく紹介されている。さらに、スペースシャトル「チャレンジャー号」の事故についても触れてあった。大きな犠牲を払いながらも、なぜ人類は宇宙へ行く必要があるのか。宇宙開発の意義も、詳しく解説されていた。

しかし、高校生がこれを訳すには、相当の根気がいるように見えた。

それでも安竹は、この翻訳をやり通した。そしてこの翻訳をきっかけに、英語に対する自信がつき、さらに宇宙飛行士という仕事を1つの〝目標〟として、明確に意識するようになったという。

「ビデオの翻訳をし終わってから、急に英語が聞き取れるようになりました。今まで聞けなかった単語が拾えるようになってきて。それと、同時に宇宙飛行士という〝仕事〟が具体的にイメージできるようになり、目標として意識するようになりました。本当にやって良かった。今回の試験で最終選抜まで残ることができたのも、全てこれのお陰、先生のお陰だと思います」

＊本番に持ち込んだ〝ノート〟

ＮＡＳＡの宇宙飛行士による面接試験。これから挑もうとする安竹の手には、森先生から手渡されたノートがあった。

ノートを持っていることに気づいた私たちは、安竹に声をかけた。

「宇宙飛行士になりたいという気持ちの〝証拠〟を、ちょっと持ってきちゃいました」

照れ笑いしながら、安竹は語った。

「ヨウヘイ、準備が出来たよ！」

安竹は、ＮＡＳＡの採用担当責任者であるロス氏に呼ばれると、表情が一気に引き締まった。そしてしっかりとした足取りで、面接室に向かった。

席に座った安竹に、宇宙飛行士室長のリンゼー氏が早速、志望動機を尋ねた。

「ヨウヘイ、なぜ君は今、ここにいるんだい？」

すると安竹は、次のように答えた。

「僕がここにいる理由は……」

と質問を繰り返したあと、一瞬、間を置いて、

「これで説明できると思います」

と答え、ファイルからノートを取り出し、自分の前にかかげたのである。

そして、単語を１つひとつ選びながら、答えを続けた。

「僕が高校生だったころ、森先生という恩師がいました。その森先生が、ＮＡＳＡのケネデ

イ宇宙センターを訪れ、『スペースシャトルミッションズ』というNASAのビデオを持って帰ってきました。

私はNASAが好きだったので、そのビデオを森先生から借りました。内容を知りたかったのですが、最初は英語が難しすぎて分かりませんでした。そこで日本語に訳すことにしたのです」

面接官にノートを見せる安竹

帰国子女のような、流暢《りゅうちょう》な英語ではない。しかし分かりやすく、聞き取りやすい。発音も明瞭で、悪くない。その他の優秀な候補者たちの中でも、際立って〝伝わる〟英語を安竹は話していた。

「ビデオの音声だけをカセットテープに録音して数えきれないほど何回も聞き、分からない単語を辞書で調べて訳をこのノートに書いていきました」

当初リンゼー氏らは、他の候補者と変わらぬ鋭い目を安竹に向けていた。しかし話を聞き、そして何よりも、ノートを見るうちに表情が明らかに柔らかくなった。

安竹は続ける。

「すると英語が分かるようになって、宇宙飛行士の仕事も理解できるようになりました」

当初は厳しい表情をしていたNASAの面接官たちは、いつの間にかみな微笑《ほほえ》んでいた。なかでもリンゼー氏は身を乗り出しており、明らかに感心した様子だった。

そして安竹のノートを見ながら、リンゼー氏は確認するように尋ねてきた。

「すると君は、ビデオ一本分のナレーションをすべて訳して、ノートにまとめたということなのかい?」

「はい。1時間ほどのビデオだったので2、3時間をかけて……」

「え! 2、3時間で終わったの?」

「あ、いや、1日2、3時間です」

リンゼー氏と安竹のやりとりを聞いていた面接官たちはみな、笑っていた。その雰囲気は、それまで見てきたどの候補者の面接よりも温かかった。1つの答えで、場の空気をここまで変えることが出来るのか。私たちは驚かされた。

そして最後に、スペースシャトルに搭乗する宇宙飛行士の採用を、第1回目から担当してきたロス氏が安竹に声をかけた。

「たぶん君は、この部屋にいる誰よりもスペースシャトルに詳しいよ」

面接室は、大きな笑いに包まれた。

＊安竹の面接が教えてくれたこと

言うまでもないが、ＮＡＳＡの面接は、優れた志望動機だけで乗り越えられるほど甘くはない。

ＮＡＳＡは、複雑な装置を扱う技術面での実績や、航空機などの操縦経験も重視しており、前に述べた「人間性」や「覚悟」だけではなく、専門性においても高いレベルを求めているからである。

無論、これらはすべて英語で的確にアピールできなければならず、その意味で極めて難度の高い面接であると言える。

しかし、この面接での安竹の姿勢は、どんなに厳しいシチュエーションで言葉のハンデがあっても、自らが日々積み重ねてきた努力を信じて、自信と誠意を持って伝えれば、相手の心を動かし、自らのペースに引き込む回答をすることが可能なのだということを最も分かりやすく示してくれた。

なぜなら面接というものは、つまるところ「この人間と一緒に働きたいかどうか」を見ているものだからである。

リンゼー氏もこの点を強調していた。

「宇宙では火事や、突然、急激な減圧に見舞われるなど、数多くの緊急事態が想定されます。宇宙飛行士にとって何よりも重要なのは、そうした事態に陥っても仲間がその人間を信頼し、命を預けられるということなのです。いかなるときも仲間と助け合い、確実に物事に対処できるかどうか。一方、普段は友達として付き合えて、良い関係を保てるかどうかということが問われているのです」

その意味で安竹の志望動機は、NASAの面接官たちを惹き付けるものだった。「あなたたちの仲間になるために、できる限りを学んだ。ビデオを通じて現実の一端を知った上で、10年以上かけてここまできた」。そんな熱い思いが、安竹の言葉とノートからリンゼー氏たちに届いていたのである。

実際NASAは、安竹に大きなポテンシャルを感じていた。「まだ荒削りだが、今後大きく伸びる可能性を秘めている」。そう評価していたという。

安竹は試験が終わったあと、上気した表情で目を赤く潤ませながら、私たちのインタビューに答えてくれた。

「すべて出し切ることができて良かったです。面接官の方々も、素敵な人たちばかりでした。本当に、本当に、このノートのおかげです」

君はなぜ、ここにいるのか。

自分の人生の足跡を、ありのまま答えた安竹。

面接後に見せたその表情は、以前よりも自信に溢《あふ》れ、清々《すがすが》しかった。

＊本当の〝面接〟はこれから

ＮＡＳＡによるすべての試験が終わった日の夜、ソーシャル・パーティーが開かれた。

パーティーには、ＮＡＳＡの面接官たちが出席した。日本人宇宙飛行士の野口《のぐち》さんや山崎さん、星出さんや古川《ふるかわ》さんも勢ぞろいした。

実はこのパーティーには、候補者たちの〝本当の姿〟を見るというＮＡＳＡ側の狙いがあった。

リンゼー氏は、次のように話している。

「緊張して面接に臨むのと、社交的な雰囲気の中で候補者の本当の姿を見るのとでは、大きな違いがありますからね。面接では必ずしもいい状況で臨めなかった候補者がいたかもしれません。そこで、誤った判断を防ぐために、この機会を設けたのです」

NASAの意図を感じ取っていたのだろう。

候補者たちはグラスを片手に、面接官たちに懸命に話しかけていた。

【候補者】「ごめんなさい。面接ではなかなかうまくしゃべれなくて……」

【リンゼー氏】「いやいや、そういうもんだよ。私も面接を受けたときは緊張した。心配しないで」

【候補者】「NASAの面接のやり方に驚きました。日本の面接はとても堅苦しいので」

【NASA宇宙飛行士】「この国でも、日本のような面接形式はありますよ。証人喚問とかでね（笑）」

【候補者】「宇宙での長期滞在で重要なのは何ですか？」

【NASA宇宙飛行士】「『チームの良い一員であろうと心がけることです。時にはくつろいで面白い話ができたり、他の宇宙飛行士たちと共通の話題があったりするといいですね」

パーティで積極的な候補者ほど、面接ではうまくいかなかったと感じていたのだろう。この場でなんとか面接の失敗を取り返そうと、必死さが伝わってきた。

一方のリンゼー氏たち面接官は、１人ひとりの候補者の話にしっかりと耳を傾けていた。面接で見落としたことはなかったか、気がつかなかったことはなかったか。そして何よりも、自分が下した評価が適切だったのかどうかを、確認しようとしていた。

そして候補者の中には、リンゼー氏から、わざわざ話しかけられるものもいた。

油井である。

宇宙飛行士になった場合、F15戦闘機を操ってきたパイロットとしてのキャリアをどう生かせるのか。油井はそんな不安を正直にぶつけていた。

これに対してリンゼー氏は、「私もパイロットで、同じ不安があった」と打ち明けた。その上で、「訓練機であれば、君に操縦する機会をつくれるかもしれない。君のキャリアは、必ず生かせるよ」と熱く語っていた。

この様子を見て私たちは、油井は合格するだろうとの思いを強くした。

＊家族にとっての〝宇宙飛行士〟

パーティも開始から1時間あまりが過ぎ、皆が話に夢中になる中、海上保安庁のパイロットの大作殺《だいさくたけし》が、ある女性の存在に気がついた。

女性の名は、ローナ・オニヅカさん。１９８６年に爆発したスペースシャトル「チャレンジャー号」の打ち上げで、宇宙飛行士だった夫エリソンさんを亡くした。

ローナさんは、日本の有人宇宙開発を、その黎明期から支えてきた人物である。夫が亡くなる以前から、ＪＡＸＡの前身である宇宙開発事業団（ＮＡＳＤＡ《ナスダ》）のヒューストン駐在事務所で働いており、日本人宇宙飛行士とその家族の支援に当たった。

ローナさんは、日本人宇宙飛行士が毛利《もうり》さん、向井《むかい》さん、土井さんの３人だけだったころから、日本人宇宙飛行士の心の支えとなってきた。特に若田光一《わかたこういち》さんは、ローナさんを〝アメリカのお母さん〟と呼んでいるという。若田さんとローナさんの間に深い絆《きずな》があることが窺える。

そのローナさんは、夫を亡くしたあとも宇宙開発に積極的に関わってきた。夫とともに培ったＮＡＳＡとの太いパイプは、ＪＡＸＡにとって大きな恩恵となっている。現在のＮＡＳＡのトップ、チャールズ・ボールデン長官とも懇意だ。そして、宇宙飛行士とその家族の支援方法について、ローナさんは大きな発言力を持っており、今も積極的に活動している。

大作は、ローナさんのもとに歩み寄った。ＮＡＳＡに来てから抱いた、ある疑問を尋ねるためだ。

大作は、宇宙飛行士という仕事の〝リスク〟を考えるようになっていた。

３人の幼い娘、天音ちゃん、千月ちゃん、彗奈ちゃん。そして人生の大半をともに歩んできた妻の真希子さん。彼女たちは、宇宙飛行士になりたいという父親の夢を、家族全員の夢として心から応援してきてくれた。

ローナ・オニヅカ夫人

大作は、天音ちゃんと千月ちゃんからの手紙を持って、アメリカに来ていた。天音ちゃんは、覚えたてのひらがなとカタカナで一生懸命、宇宙飛行士を目指す父親を応援していた。

「おとうさん。テストで100てんとってね。はなまるいっぱいとってね。うちゅうひこうしになるのをあーちゃんはまっています。がんばってね」

しかし、ＮＡＳＡでの試験を通して見えてきたのは、宇宙

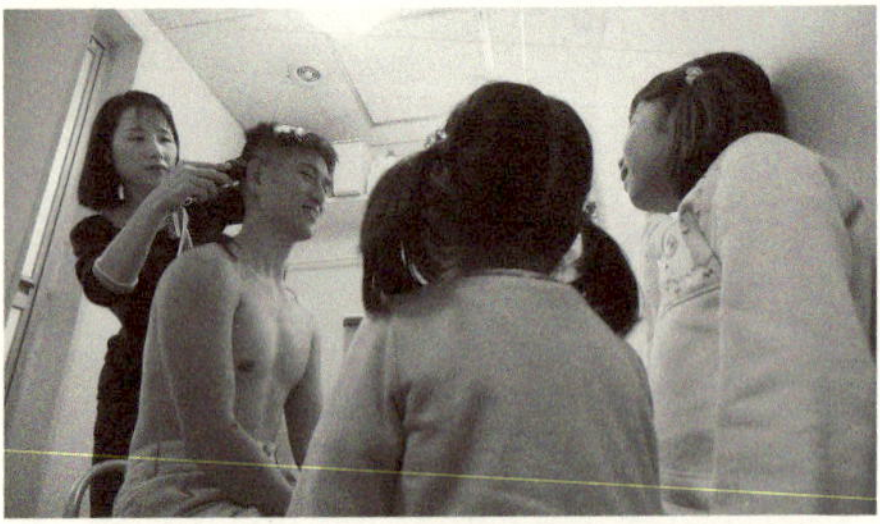
娘たちに見つめられながら、妻に髪を切ってもらう大作

飛行士になるということは自分だけでなく、家族にもまた大きな〝覚悟〟が求められるということだ。NASAに来て宇宙飛行士たちと直接会い、訓練施設などを見学するにつれて、宇宙の本当の恐ろしさを感じるようになった。パイロットである大作にも、宇宙飛行の死亡率の高さは無視できなくなっていた。

宇宙飛行士を目指している自分を、家族は本当のところどう見ているのだろう。大きな覚悟を背負わされることを、家族はどう思うのだろう。大作は答えを求めて、オニヅカさんに尋ねた。

するとオニヅカさんは、それまでの笑顔から、とたんに真剣な表情へと変わった。そして、大作に忠告するようにゆっくりと語りだした。

「宇宙飛行には大きなリスクが伴います。ある日あなたが、仕事に出たまま家族のもとに永遠に帰らないということも十分ありえるでしょう。でもそれは、あなたが宇宙飛行士という道を追い求める限り、必ずつきまとう代償なのです。それが現実であり、そのリスクを家族にも話し、理解してもらわなければなりません」

オニヅカさんは、真剣なまなざしで続ける。

「私と子どもたちは、夫から命を落とす危険について知らされていました。しかし当時はすでに、宇宙飛行が珍しくはなくなっていましたから、そのリスクについての意識が、やや希薄になっていたように思います。私も母親として、子どもたちの前でそのリスクにあまり触れたくはありませんでした。むしろシャトルの打ち上げを見たり、その準備をしたりすることのほうが、喜びでしたから、子どもたちにも楽しんでもらいたかった。それでも夫は、夜静かなときに、子どもたちに『お父さんは死ぬかもしれない』と話していました。事故が起きるかもしれないと。でも実際に事故が起きたとき、やっぱり私たちは準備なんてできていませんでした。

何があれば、何をすれば、私や私の子どもたちのように、夫を失った家族の心を、支えていくことができるのか。それは今でも、私には分かりません。

そんなリスクを、自分と家族に負わせるべきか。それは宇宙飛行士を志すあなた方自身が、自分で決めることだと思います。なぜなら、宇宙に行くチャンスを手に入れられる人は、この世でほんの一部の人たちなのですから。このパーティーにはたくさんの宇宙飛行士が来ていますが、世界の人口から見ればほんのひと握りなのです。確かに、私の夫は若くしてなくなりました。でも、この地球上に生まれた人間の中でも、最も幸運な人の1人だったと信じています。宇宙飛行士になるという、地球上でほんのわずかな人にしかできないことを成し遂げることができたのだから。そしてその父親の姿は、子どもたちも決して忘れることはなく、今も誇りに思っているのです」

大作は、オニヅカさんの英語での語りを、すべて理解できている訳ではなかった。

しかし、その言葉の重みは、言語の壁を越えて伝わっていた。

宇宙飛行士が、その家族に背負わせなければならない〝覚悟〟。大作は、ローナさんを通じて、その大きな意味の一端に触れた。

＊大作が得た思い

ＮＡＳＡでの試験もすべて終わり、いよいよ明日、日本に帰国するという前夜。

大作は、私物をトランクに詰め始めていた。その様子を見つめる私たちに、大作は試験の感想をゆっくりと語り始めた。

「新しいことに挑戦して、途中、何度か気持ちが折れそうになることもあったんですけど、やっぱり、一度決めたことはきちんとやり通さなければならないと思いましたし、家族も応援してくれていたので、その期待に応えたいという一心で頑張ってきました。でも、日本で試験を受けていた頃は、精一杯頑張って運よく合格すれば宇宙飛行士になれるんだなと、どこか憧れの延長のような気持ちで進んできていたと思うんです。それがＮＡＳＡに来て、宇宙飛行士という職業を、これから自分が選ぶ仕事として良いところも、悪いところも、大変なところもすべて、自らの身に引きつけて考えられるようになりました。

結果はどうあれ、今回の試験は自分の人生の転機であり、大きなステップとなっています。自分自身、夢を忘れずに、それに向かって全力投球できたことは、それだけですごく幸せなことです。この気持ちを大切にこれからの人生を歩んでいきたいし、自分の娘をはじめとした次の世代に伝えていければと思います」

10人の夢への挑戦は、アメリカ・ヒューストンでひとつの節目を迎えた。

第5章　宇宙飛行士はこうして選ばれた

＊宇宙飛行士を選ぶ採点方法

２００９年２月、最終候補者10人は、それぞれの日常に戻っていた。有給休暇を使って、２週間も職場を留守にしたツケは、どの候補者たちにも重くのしかかり、たまった仕事を必死で消化しなければならない状況に追い込まれていた。

しかし、仕事に忙殺されることで救われることもある。

合格発表までは、１か月余りも待たなければならない。仮に宇宙飛行士に合格すれば、今までの生活は一変する。慣れ親しんできた仕事も辞め、訓練のためにヒューストンへ引っ越さなければならない。当然家族の暮らしにも大きく影響する。逆に不合格という結果に終われば、子供の頃からの夢は潰《つい》えることになる。それだけに、結果を早く知りたいと逸《はや》る気持ちと、いつまでも結果が分からないままで夢見ていたいという気持ちが混じり合い、10人の心は安まるときがなかった。

この間、私たちは羽田空港で白壁と会う機会を得た。白壁は、これまで見たこともないような、疲れた表情を見せていた。

「本当に自分は宇宙飛行士になる覚悟があるのか、いまだに答えが出ないんです。合格はしたい……でも、受かれば、大好きなパイロットの仕事も、購入した家も手放さなければならない。家族を巻き込むと考えると、夜も眠れないんです」

10人は、まさに人生の岐路に立たされていた。

一方で、10人の人生を左右する決定を下すための準備は、着々とＪＡＸＡ《ジヤクサ》内部で進められていた。

選抜試験事務局は、候補者１人ひとりについて得点の集計を行う。審査委員たちは、何度も閉鎖環境試験を録画した映像を見直したり、面接結果の順位づけを行ったりするのだ。

例えば、ロボット作りのような集団課題の場合は、「リーダーシップ」という項目について、Ａプラス（６点）、Ａ（５点）、Ａマイナス（４点）、Ｂプラス（３点）、Ｂ（２点）、Ｂマイナス（１点）、Ｃ（０点）の７段階で点数をつける。この７段階評価は、ＮＡＳＡでの技量試験や面接も含めたすべての課題に対して行われ、総得点で候補者の１位から10位までの順位をつけていくのである。

ただし、この順位だけで合格者が決定するわけではない。さらに、精神・心理を含めた医学審査をクリアしなければならないからだ。第2次選抜で体の隅々まで医学検査したが、まだ調べきれていない項目がある。

例えば、〝宇宙酔い〟の原因と密接に関係する、平衡機能の検査もその1つだ。最終選抜で10人は目隠しをされ、悪名高き〝回転イス〟に座ってぐるぐる回された。ここで脳波や心電図に異常があれば、何度も再検査が行われる。そしてもし、それが医学的には対処できない異常であると判断されれば、宇宙飛行士としては「不適格」となってしまう。

また、長期滞在への適性を見極めることを重視しているため、精神科医や心理学者も、閉鎖環境試験の映像を細かくチェックする。仮に、ある候補者が「長期間の集団生活に向かない」ということになれば、同じように「不適格」という判断が下される。

たとえどんなに試験の総得点が高くても、精神・心理を含めた医学審査で少しでも問題が見つかれば、その時点で「不合格」になってしまう。実に厳しい試験なのだ。

＊合否を決する「宇宙飛行士審査委員会」

２月20日、東京・丸の内にあるＪＡＸＡ東京事務所に、「宇宙飛行士審査委員」の面々が集まってきた。ここで「宇宙飛行士審査委員会」が開かれ、選抜試験事務局が１か月かけて集計した採点結果をもとに、正式に宇宙飛行士の候補者が決定する。

委員は全部で20人。ＪＡＸＡ副理事長の林幸秀氏が委員長を務め、資質審査委員会の委員長・長谷川義幸氏、医学審査委員会の委員長・立花正一氏、さらに宇宙飛行士の毛利衛《もうりまもる》さん、そして宇宙で細胞実験を主導した東京大学の教授、航空宇宙医学が専門の医師など外部のメンバーも名を連ね、公正に審議された。

そして、ついに半年間にもおよんだ試験の結果が確定した。

この瞬間、２人の宇宙飛行士候補者が誕生したのである。

ただし、結論に至るのはまだ早い。個人的な理由などで２人が辞退しないとも限らない。また、日本人宇宙飛行士が国際宇宙ステーションに長期滞在する機会が、今後さらに増えることが見込まれた場合、追加の宇宙飛行士が必要となる。そこで、２人に次ぐ得点の候補者２人を第１補欠、第２補欠とすることとされた。

963人の応募者から始まった宇宙飛行士選抜試験は、こうして終幕を迎えたのである。

＊それぞれの運命の瞬間

2月25日、ついに最終候補者10人にとって運命の日が訪れた。

宇宙飛行士審査委員会の決定が正式に、国の「宇宙開発委員会」で承認され、この日、10人に合否が連絡されるのだ。そして合格した候補者は、すぐにＪＡＸＡ東京事務所に出向き、数時間後に予定された記者会見に備えなければならない。家や職場で連絡を受けることができない候補者は、ＪＡＸＡが用意したホテルでその時を待った。

午前9時半。審査委員の柳川氏が、合格者から順に電話をかけ始めた。

東京都内のホテルでは、油井《ゆい》、大西《おおにし》、白壁《しらかべ》、内山《うちやま》の4人が遅い朝食をとっていた。緊張感を紛らわそうと、4人はとりとめのない話をして時間を過ごしていた。

その時、1人の候補者の携帯電話が鳴った。

「もしもし、はい、はい、はい……ありがとうございます！」

最初に「合格」の連絡が入ったのは、ＡＮＡの副操縦士、大西卓哉だった。普段決して舞い上がることのない冷静沈着な大西が、顔を紅潮させ、興奮を抑えきれずにいた。

「大西、おめでとう！」

電話を切った大西に、白壁は笑顔で声をかけた。大西と白壁は、同じＡＮＡグループのパイロット同士、研修所で一緒に訓練を受けた先輩、後輩の間柄にある。複雑な思いを胸に抱えながらも、白壁は大西の合格を素直に喜んだ。

このとき、油井は携帯電話を部屋に忘れてきたことを思い出し、一旦部屋に帰ることにした。それからしばらく間をおいて、油井が再び戻ってきた。そして、落ち着いた感じで３人にこう告げた。

「部屋に戻ったら、ちょうど電話がかかってきて……『合格』でした」

「おめでとう！」。３人は、油井を祝福した。

大西と油井は、直ちにＪＡＸＡへ向かわなければならないため、急いでホテルを後にした。せわしなく２人が去ったテーブルには、白壁と内山の２人が残された。２人は惜しくも不合格だった。

最年少で独身の安竹洋平《やすたけようへい》は、家に１人でいるのも落ち着かず、いつもと同じように会社で仕事をしていた。午前９時半が過ぎ、安竹の周りに会社の同僚が集まってきた。キャパシタという電池の開発をともにしている仲間たちにとって、安竹が宇宙飛行士になることは自分たちの夢でもあったからだ。皆、安竹に〝技術者の星〟として輝いてほしいと願っていた。

安竹は緊張で仕事が手につかず、仲間と仕事の話をしながらその時を待った。だが、10分経っても、20分経っても電話は鳴らない。

「電話がないから、だめだったのかもしれない……」

10時45分を過ぎたとき、職場の電話が鳴った。

「はい、安竹に代わります！」

電話を受け取り、安竹は緊張した面持ちで柳川からの連絡に耳を傾けた。

「はい、はい、はい……」。電話が終わり、ゆっくりと受話器を置くと、安竹は仲間たちにこう伝えた。

「……だめでした。残念でした」

結果は、不合格。しかし、安竹の表情に落胆の色はなかった。逆に、すべてをやり遂げた達成感に似た思いが滲《にじ》んでいる。

「本当によく頑張ったね！」

仲間たちは、最終選抜まで残った、安竹の努力を讃《たた》えた。

安竹の子供の頃からの夢は潰えた。しかし安竹には、夢に挑戦したことへの後悔はまったくなかった。

「挑戦して失敗して、そしてまた挑戦して……自分の人生はその繰り返しですから。今回はとてもいい経験をさせてもらいました。これを糧《かて》に、次の夢に向かいたいと思います。ありがとうございました！」

第2次選抜の時、初めて出会った安竹にはまだあどけなさが残り、少し自信なさげに話す姿が印象的だった。しかし、夢に挑戦し、試験を戦い抜いた安竹は自信に満ちていた。

＊すべて60点以上を取る難しさ

海上自衛隊の外科医・金井宣茂《かないのりしげ》は、合否の連絡を千葉の実家で受けた。結果は「第1補欠」という、合格とも不合格とも言えないものだった。過去4回の宇宙飛行士選抜試験では、「補欠」というものがなかった。このため、金井はこの結果をどう受け止めたらよいのか一瞬、戸惑った。

しかし、宇宙飛行士になる可能性があるのであれば、待つしかないと覚悟を決めた。

そして半年後、金井は宇宙飛行士に選ばれることになった。日本人宇宙飛行士が国際宇宙ステーションへ長期滞在する機会が、今後さらに増えることが見込まれたからである。

記者会見の金井宣茂

今回の選抜試験で、先に合格を果たした油井亀美也、大西卓《たく》哉《や》と合わせ、3人の宇宙飛行士が新たに誕生したことになる。なぜ金井が高く評価され、合格したのか。

本書では、金井の試験での様子はほとんど触れていないため、なぜ彼が選ばれたのかは判然としないかもしれない。しかし金井は、すべての課題で一定の評価を得ていたのである。それは、候補者たちの〝目立った動き〟を追っていた私たちには、見えにくいものであった。

日本人初の女性宇宙飛行士・向井《むかい》千秋《ちあき》さんは、宇宙飛行士に必要な資質を次のように表現している。

「宇宙飛行士は、何もスーパーマンである必要はないと私は思う。例えば、しばしば宇宙飛行士は体が頑丈だとか言われるけれども、オリンピックで金メダルを取るわけではないから、何か1つのことにものすごく長《た》けていなくてもいい。語学にしても、同時通訳をしている人たちのほうが上だと思うし、健康にしても筋肉マンですごい力がある必要はない。宇宙飛行士に求められるのは、数々の審査で、すべて合格点を取らなければならないということ。すべての項目で60点を取るというのは意外と難しいんですよ、健康面も含めて。100点じゃなくてもいいんだけれど、50点じゃやだめ。勉強も運動も精神・心理も、すべてバランスよく合格点を取らなければならないんです」

そして金井は、まさにすべての課題で60点以上をマークしていた。眼鏡をかけ、学者のような穏やかさのある金井は、私たちから見ても常に安定していた。どんな局面を迎えても、冷静で決してペースを乱すことはない。折り鶴の課題では、外科医らしい手先の器用さで着実にノルマを達成し、ロボット製作などの集団課題では目立ちはしないものの、大事な場面でチームを調整する、いわば〝渋い〟働きを確かに見せていた。

そんな金井に、試験で一番印象に残っている課題は何か、私たちは聞いた。すると、意外にも心理テストの1つである、絵を描く課題だったと答えた。与えられたテーマは「私と仲間」。自分を含めた10人の関係をどう描くかによって、その人間の心理状態や特性が見えると言われている。

例えば、自分の立ち位置を絵の中心に配置すれば、リーダーシップはあるかもしれないが、「自己中心的」な一面があるとも考えることができる。そして候補者たちの多くは、閉鎖環境施設の食堂で、皆が仲良く食事をしているような場面を描いていた。しかし1人、金井の絵だけは違っていた。

「ちょっと、他の人とは違う絵を描いて目立てばいいなと思いました。そこで、10人全員が『FX10』というロケットに乗って宇宙に向かって突き進んでいるイメージの絵を描いたんです。試験全体を通して一番、自分らしさを出せた課題だったと思います」

金井本人を含めた10人が1つのロケットに乗り込んで宇宙へ飛び出す。まさに全員の夢を一枚に凝縮した絵だった。私たち自身、この絵を見せてもらって、金井の意外な一面を見たような気がした。心理テストの結果は分からない。しかし、普段は冷静に見える金井も、その内には宇宙への強い思いが秘められていたと感じた。さらに、「最終選抜で出会った仲間たちと一緒に」というコンセプトから、金井のやさしさも感じられた。

その金井は、他人を蹴落としてでも宇宙飛行士に選ばれたいというタイプではない。どちらかといえば、協調性をもってチームに貢献するタイプだ。油井のような、強いリーダーシップを発揮するタイプではないのかもしれない。しかし、宇宙飛行士として求められるすべての課題で60点以上を獲得した、まさにオールマイティな人間である。金井もまた、宇宙飛行士の道を断たれた残りの仲間たちの思いを背負って、夢を現実のものとするに違いない。

＊家族も一緒に闘ってきた……

海上保安庁のパイロット・大作毅《だいさくたけし》は、ＪＡＸＡからの合否連絡を家族とともに、官舎で待っていた。居間で電話を待つ大作のまわりを、２人の娘、天音ちゃんと千月ちゃんが走り回る。最初は余裕を見せていた大作だったが、合格発表の開始時刻と知らされた９時半が近づくにつれて、次第に言葉を発しなくなった。そして９時半を回ると、大作は完全に落ち着きを失った。電話を見ては、何度もため息をつく。

妻の真希子さんは、末娘の彗奈ちゃんを抱きながら笑顔で大作を見守る。

「プルルルル！」

娘たちの嬌声を遮るように突然、電話が鳴った。大作は娘たちに「静かに」と合図して、ゆっくりと受話器をとった。

「はい、大作です。はい、はい、はい……」

大作は、静かにＪＡＸＡの柳川氏の説明に耳を傾けていた。その表情には、喜びとも落胆ともいえない複雑な色がにじんでいる。

３分ほどの会話が終了し、受話器をゆっくりと置くと、大作は真希子さんに向かって言った。

「第2補欠だって……」

「えっ、第2補欠で合格？」

合格と信じて疑っていなかった真希子さんは、どういう結果だったのか、理解できずにいた。

「ただ、ちょっと複雑で、今回初めてできた仕組みで……」

大作自身も、この〝第2補欠〟を合格と考えればいいのか、不合格と考えればよいのか混乱していた。

しかし、時が経つにつれて、この結果が限りなく〝不合格〟に近いものだと理解するようになった。

合格した2人が、何らかの事情があって辞退したとき、はじめて出番が回ってくるという補欠。しかし、2人が辞退するとは考えにくい。それはともに試験を戦った、自分が一番分かっている。また、第2補欠の自分の前には、第1補欠が控えている。合格者のうち1人が辞退しても、それでも自分は宇宙飛行士にはなれない。

大作はショックからか、部屋の隅で膝《ひざ》を抱え黙り込んだ。何も知らない2人の娘たちは、密かに真希子さんと準備していたクラッカーを持って父親のところにやってきた。

「お父さん、お疲れさまでした!」（天音ちゃん）

「お疲れさまでしたぁ」（千月ちゃん）

「パーン!」

激しくクラッカーが鳴った。中から飛び出た紙のテープが落胆する大作の頭にかかった。娘たちのやさしさに触れ、大作はかすかに笑った。しかしその目は、少し潤んでいるようにも見えた。真希子さんも第2補欠という結果が、実質的な〝不合格〟だと悟り、声をかけられないでいた。

そんな中、千月ちゃんはどうして父親を祝福しているのか、理解できていなかったのだろう。

「お父さん、お誕生日おめでとう!」

精一杯の言葉を、大作にかけた。落ち込みかけていた家族の雰囲気が、明るくなった。大作は、彗奈ちゃんを抱える真希子さんのところに近づき、ねぎらいの声をかけた。

「ここまで協力してくれてありがとう」

そして、つぶやくように言った。

「大変だった?」

すると、真希子さんは包みこむような笑顔で夫を見つめ、こうつぶやいた。

「そんなに大変じゃないよ。だって、頑張って！　って言ってるだけだから」

子どもたちを見ながら、真希子さんは続けた。

「楽しかったよね。どきどきもわくわくもしたし。何年ぶりだろう。こんなにドキドキしたの……。だから、それで満足だよ」

大作の、夢への挑戦が終わった。

その後、大作は外出の準備をした。候補者みんなで集まって、合格者を祝福しようと、約束していたのだった。

合格発表から、しばらく経ったある日、私たちにあてて、真希子さんから取材に対するお礼のメールが届いた。そこには、感謝の気持ちとともに、あの合格発表の日に夫が出かけて行った後のことが書かれてあった。

「実は皆様が出発された後、しばらく何も手がつけられず、ニュースを見たときは、涙が止まりませんでした。なぜ、ここに主人がいないのだろう……と。娘達は『お母さん、頑張ったじゃん。だから悪くないんだよ』と言って励ましてくれました」

このメールを読み、私たちはあらためて、家族も大作とともに闘っていたのだと気づかされた。最初は大作だけのものだった、宇宙飛行士の夢。それがいつしか、家族の夢になっていた。

そしてヒューストンで出会った、あのローナ・オニヅカさんの言葉が、思い出された。

夢を実現した夫のことを、今も私たち家族は、誇りに思っています。

夫が宇宙飛行士になることに、どのような「覚悟」が必要なのかは分からなかった。しかし真希子さんは、懸命に夢を追い求めた大作を誇りに思っていた。

大作は今、海上保安庁が誇るハイテクジェット機に乗りながら、日本の海を空から守り続けている。急な出動命令で、深夜に家を飛び出していくことも少なくない。

その間も、妻の真希子さんは大作が心おきなく任務に励めるよう、家で子どもたちを守っている。

＊みんなの夢を背負って

候補者全員への、合否の連絡は終わった。この時、合格した油井と大西はすでに、ＪＡＸ

A東京事務所へと移動し、記者会見の準備に追われていた。合格を喜ぶ間もなく、彼らの人生は大きく変わり始めていた。

そんな中、8人は発表の前に約束した通り、JAXA東京事務所に集合した。誰が合格しても、全員で祝福しようと決めていたのだ。

JAXAの会議室には、再会の場が設定されていた。しゃれた演出である。その奥に、2人は立って待っていた。8人が会議室に入り、2人へ歩み寄る。

8人は、一斉に声を上げた。

「油井さん、おめでとう!」

「大西くん、おめでとう!」

2人は1人ひとりと抱き合い、握手を交わしていく。油井は、はにかむような笑顔を浮かべていた。一方で大西は、涙ぐんでいた。

「大西、本当に良かったな!」

泣きじゃくりながら、大西に抱きついたのは、白壁だった。

同じパイロットの研修所で先輩、後輩の仲だった2人。先輩である白壁の祝福の言葉に、大西も感極まり、涙があふれ出た。

「白壁さんがいなかったら、ぼくはここまで来ることができませんでした」

大作が、カバンの中から2冊のアルバムを取り出し、油井と大西の2人に手渡した。

「これからの訓練で辛いことや大変なことがあったときには、これを見て元気を出して。僕たちがついているから」

アルバムの表紙には、『おもいでアルバム　FX10』と書いてあった。

2人は、アルバムの中をぱらぱらめくり、丁寧にレイアウトされた、たくさんの写真に驚いた。それは試験の最中に、大作が撮りためていた皆の様子をとらえた写真だった。

NASAに展示されていたロケットの前で、みんなで撮った集合写真。アメリカ最後の晩、ホテルの部屋にみんなで集まり、騒いだときの写真。厳しくも楽しかった思い出の場面の数々が、載せられてあった。

実は大作は、誰が合格してもいいように、それぞれを主人公の宇宙飛行士に見立てた、全員分のアルバムを徹夜で作っていたのだ。

「ありがとう！　宇宙へ行くときには必ず持って行くよ！」

記者会見の時間が迫ってきた。もう2人は行かなければならない。最後に2人に手渡されたのは、みんなで折った、あの千羽鶴だった。

手渡された油井がつぶやいた。

「本当に重いね……」

千羽鶴には、仲間たちの宇宙への思いが詰まっていた。

2人は、10人だけでなく、今回の試験に応募した963人の夢を、そして国民1人ひとりの期待を背負うことになる。

この千羽鶴を宇宙に持っていく日が必ず来ると信じて、2人は厳しい訓練に向かう。

大西（左）と油井（右）による合格記者会見

記者会見の場。100人近くの報道陣が詰めかけていた。
大量のフラッシュが、会場に入ってきた2人に浴びせられた。
新たに誕生した宇宙飛行士候補者、油井亀美也。そして大西卓哉。
2人は、幼い頃からの夢、宇宙への道を歩み始めていた。

＊長く厳しい宇宙への道

合格した油井と大西は、それぞれ航空自衛隊、ＡＮＡを退職し、４月１日付でＪＡＸＡの職員となった。そして、宇宙飛行士としての長く、厳しい訓練に入った。

まず、４か月間、つくばの訓練施設で宇宙の基礎知識やＩＳＳについて学び、英語の習熟や体力訓練を集中的に行った。

そして8月からは、宇宙飛行士として正式な認定を受けるため、ＮＡＳＡの訓練コースに入った。期間はおよそ2年、ヒューストンにあるジョンソン宇宙センターを中心に、訓練に明け暮れる日々を送ることになる。

そして２人が渡米して間もない9月に、金井宣茂が宇宙飛行士に選ばれた。金井は遅れを取り戻そうと、わずか3週間で国内訓練を終え、息つく間もなくＮＡＳＡへと旅立った。

宇宙飛行士の選抜試験は、日本と同じタイミングで、アメリカやカナダでも実施されていた。アメリカでは軍のパイロットや科学者など12人の精鋭が、カナダでも軍のパイロットなど3人が選ばれた。

ＮＡＳＡやカナダは、日本と同様に今回の選抜試験で、パイロットを数多く選んでいる。万が一の危機や緊急事態に備え、常に訓練を重ねているパイロットに求められる資質は、宇宙飛行士と共通するものが多い。しかしそれだけではない。各国が、将来のコマンダー（船長）になる人材がほしいと考え、狙いを持って採用を行った結果でもあった。

油井・大西・金井を含めた世界の18人が、NASAの「２００９年　宇宙飛行士クラスAstronaut Class of 2009」になった。18人はともに学び、競い合いながら正式な宇宙飛行士としての認定を目指す。

2年にわたる訓練では、常にトップから最下位まで成績の順位がつけられ、宇宙飛行士としての資質が見極められていく。コマンダー候補となるためには、当然トップクラスでなければならない。トップクラスの成績を収めれば、宇宙に飛び立つ日も早く訪れる。彼らにとって、試験はまだ終わっていない。これからの2年間は、長く厳しい競争の日々なのである。

その訓練内容は多岐にわたる。国際宇宙ステーションの運用に必要な技能から、実験をこなすための科学的・技術的な知識、そして英語とともに、国際宇宙ステーションの公用語であるロシア語の習得と、幅広い。そして、危機的な状況における対応能力を鍛えるための、ジェット機を使った操縦訓練もある。今回のＪＡＸＡの選抜試験でも重視されたが、緊急事態に対応する力は、宇宙飛行士に常に求められ続ける資質である。

2人乗りのジェット機に、教官役のパイロットとともに乗り込む。突然、候補者の前にブラインドが下ろされ、有視界飛行ができなくなったり、計器が故障したりと、教官があらかじめプログラムした危機を演出する。宇宙飛行士は、自らの力でこの危機を乗り越えねばならない。この訓練を日常的に行うことで、宇宙での危機を乗り切る力を養うのが狙いだ。そしてこの訓練自体も、採点・評価の対象となっている。

大自然の中でのサバイバル訓練もある。山の中に候補者たちが連れて行かれ、食料など最低限の装備だけを持たされ、1~2週間、野外生活を送る。リーダーシップやフォロワーシップといった、チームをまとめる力、そして忍耐力が鍛えられると同時に試される。

こうした訓練にも、向井千秋さんの話した言葉があてはまる。

「すべての項目で、宇宙飛行士は『60点以上』をマークしなければならない」

夢の宇宙へ至るまでに、3人に残された道のりはまだ険しい。

選ばれた3人は、今、どのような生活を送っているのか?

油井亀美也は、子供2人がすでに中学生、小学生であるため、家族と離れて単身赴任をし、訓練の日々を送っている。

大西卓哉は、人生が大きく変わるこのタイミングに、長年交際を続けてきた女性と結婚。

今はヒューストンで一緒に暮らしながら、奥さんの支えを糧に訓練に励む。

独身の金井宣茂は1人、夢に向けて頑張っている。

そんな金井が、2009年の暮れの休暇に帰国した。

久しぶりに、かつての選抜試験の仲間たちと再会、近況報告をした。その場に私たちも招かれ、同席させてもらった。

金井はNASAでの様子を、熱く語っていた。

「やっぱり訓練は厳しいです。特に自分は遅れて入ったから間に合うかどうか心配ですね。でも選ばれたからには頑張るしかないです」

穏やかな印象は変わらない。しかし、世界の精鋭たちの中で、厳しい訓練を続けているためか、金井にはどこか精悍さが備わっていた。

私たちはヒューストンで、大西にも会った。冷静な雰囲気は変わらないが、彼もまた、一層たくましくなっていた。油井も必ずや変わったことだろう。

3人は、宇宙飛行士の夢を追い求めた963人の代表として、そして日本人の代表として、これまで以上に努力を重ね、いつか遠い〝宇宙《そら》〟から、私たちに笑顔で宇宙の素晴らしさ、そして夢を追い続けることの素晴らしさを伝えてくれるはずだ。

FUTURE　EXPLORER——〝未来を切り拓く探求者〟として。

おわりに

「宇宙飛行士の選抜試験を、番組にしたいディレクターがいる」

ＮＨＫ報道局・科学文化部の上司から、そんな連絡を受けたのは２００８年2月、10年ぶりの宇宙飛行士の選抜試験の実施が発表された直後だった。当時、私は宇宙開発取材の担当者として、日頃からＪＡＸＡ《ジャクサ》に出入りしていた。

話は前後するが、この1年後の２００９年3月、最終選抜のドキュメンタリーであるＮＨＫスペシャル「宇宙飛行士はこうして生まれた〜密着・最終選抜試験〜」が放送された。そして放送直後、ＪＡＸＡに、他のマスコミの担当記者たちから苦情が殺到したという。

「ＮＨＫだけ、特別扱いは不公平だ」

「試験の密着取材ができると教えてくれれば、うちの社も申し出た」

寄せられた苦情が物語っているのは、他のマスコミの記者たちが宇宙飛行士の選抜試験など取材できるはずがないと、はなから諦めていたということだ。しかし無理はない。ＪＡＸ

Aは当時、独自取材が難しい組織として有名だったからである。「どこの誰が掛け合っても、得られる情報はさして変わらない」。そんな諦めにも似た共通認識が、マスコミ各社の担当記者たちにあったのだ。

実際、番組の取材を実現するのは容易ではなかった。というのも、番組として「密着」と銘打つには、試験のほぼすべてをカメラで撮影できなければならないからだ。しかし採用試験というものは、常識的に考えればそもそもが非公開である。JAXAとの交渉は幾度も行われた。

宇宙飛行が当たり前になり、国の財政がひっ迫し、年金や医療制度の破たんすら現実味を帯びる厳しい時代の中で、巨額な予算を必要とする宇宙開発は、ともすれば無用の長物にしか見えない。億単位の税金をかけて宇宙に行った宇宙飛行士が、寿司を握ったり、書き初めをしたりと遊んでいるような姿ばかり見せられると、国民はなおさらそう思ってしまう。

しかし、宇宙飛行士の本質はもっと別のところにあるはずである。

それを知り、伝えたいという思いが私にはあった。そして宇宙飛行士の選抜試験こそが、その本質を伝える最高の舞台だと確信していた。JAXAとの交渉は半年にも及んだが、最後には、あるJAXA幹部が私たちを信じ、英断を下してくれた。

その英断は、世界的に見ても極めて先進的なものであった。50年の歴史を誇るNASAでさえ、宇宙飛行士の選抜試験はこれまで一度たりとも公開したことがなかったからである。そのNASAも、JAXAの覚悟と私たちの熱意が伝わったのか、史上初めて試験を公開してくれた。

そうして始まった取材で、私たちが目《ま》の当たりにしたのは、宇宙飛行士という職業が持つ〝牽引力〟であった。

最終選抜に残った10人は、いずれも才能あふれる若者だった。パイロット、医師、研究者。誰もが、それぞれの分野で重要なポストにあって大きな職責を担い、将来を嘱望されていた。その彼らが今の仕事とキャリアを捨てて、宇宙飛行士になろうとしている。

「今さら、どうして?」。そんな疑問を持ちながら取材をしていると、あることに気づいた。今の彼らがあるのは、宇宙飛行士という夢をあきらめず、追い続けてきたからだ。宇宙飛行士という仕事への「憧れ」が、彼らの人生をここまで引っ張ってきていたのだ。

そして彼らは、試験を通してさらに大きく成長していく。失敗を恐れずに夢に挑んだことで、現実を知り、自らの力量も知る。10人中、3人しか夢を叶えることはできなかったが、不合格の候補者たちに後悔は見られなかった。むしろ、挑戦した者にしか得られない、新たな「自信」と、他の候補者たちとの掛け替えのない「絆」を手に入れていたのである。

昨今、書店には就職指南本が数多く並ぶ。面接の傾向や対策など、業種ごとに、攻略法が縷々《るる》として述べられている。しかし、こうしたノウハウやテクニックを駆使して〝憧れ〟の仕事に就くことが、果たして本当に幸せなのだろうか。

今回の試験は、まさにそれを問いかけるものだった。10人の候補者は、試験を受ける中で、ありのままの自分で勝負しなければならないことに気づいていく。自らを飾ったり、背伸びしたりしても意味がない。たとえそれで選ばれても、自分を永遠に偽り続けなければならなくなるからだ。そして試験では、宇宙飛行士という仕事が〝憧れ〟だけではこなせない仕事であることが、徐々に明らかになっていくのである。

20年先、30年先を生きる子どもたちに希望のある未来を残すことが、今を生きる私たちの責務であるとすれば、宇宙開発はまさにその未来のためにある事業なのかもしれない。宇宙飛行士という仕事への憧れが、今回の選抜試験に応募した963人の人生を今日まで牽引してきたとすれば、今もなお数多くの若者や子どもたちを魅了し、勉強に運動に励むエネルギーを与えているのかもしれない。

最後に、本書の出版を持ちかけてくれた、光文社新書編集部の古川遊也さんに謝辞を述べたい。本業の合間にしか執筆できず、出版まで1年以上もかかってしまった。そうした中、辛抱強く、信じて待っていただいたことに御礼を申し上げたい。

そして何よりも、選抜試験の取材を可能にしてくれたJAXA関係者のみなさまに、心から謝辞を述べたい。独特の交渉術で、NASAを見事に説得した有人技術部（当時）の柳川孝二さん。試験の狙いを明快に説明してくれた、執行役の長谷川義幸さん。現場で調整に奔走してくれた阿部貴広さんと、若松武史さん。このほか、感謝を捧げたい人は枚挙にいとまがない。

しかし、謝辞と敬意を最も表したいのは、理事の白木邦明さんである。白木さんは、私たちの番組に早くから理解を示し、実現すべく組織内で指揮を執ってくださった。前代未聞の取材で、番組の編集権に立ち入れない以上、責任者として取らされるリスクの大きさは並大抵のものではなかったはずである。しかし、白木さんは最後まで私たちを信じてくれた。

優れた宇宙飛行士に求められる資質は、世界で戦うビジネスマンに求められる資質と同じ。グローバル化が急速に進む中で今、日本人は、どのような資質を求められているのか。本書を通して、その一端でも知っていただけたならば本望である。

ＮＨＫ報道局　科学文化部記者　小原健右

大鐘良一（おおがねりょういち）
1967年、東京都生まれ。一橋大学卒業後、NHKに入局。現在は報道局チーフプロデューサー。制作した番組に「高倉健が出会った中国」、「ともに悩み　ともに闘う～長野・いじめ対策チーム」、「宇宙飛行士はこうして生まれた～密着・最終選抜試験～」（すべてNHKスペシャル）などがある。
小原健右（おばらけんすけ）
1977年、宮城県生まれ。慶應義塾大学卒業後、NHKに入局。報道局・科学文化部記者、ニューヨーク特派員などを経て、現在は報道局・国際部デスク。取材・制作した番組に「宇宙飛行士になりたかった～夢への挑戦から6年～」、「よみがえる記憶～戦艦武蔵　知られざる悲劇～」などがある。

ドキュメント　宇宙《うちゅう》飛行士《ひこうし》選抜《せんばつ》試験《しけん》

2010年6月20日初版1刷発行
2023年3月25日　　17刷発行

著　者 ── 大鐘良一　小原健右
発行者 ── 三宅貴久
装　幀 ── アラン・チャン
印刷所 ── 堀内印刷
製本所 ── 国宝社
発行所 ── 株式会社光文社
東京都文京区音羽1-16-6（〒112-8011）
https://www.kobunsha.com/
電　話 ── 編集部03（5395）8289　書籍販売部03（5395）8116
業務部03（5395）8125
メール ── sinsyo@kobunsha.com

 ISBN 978-4-334-03570-9

光文社新書

322
高学歴ワーキングプア
「フリーター生産工場」としての大学院
水月昭道
いま大学院博士課程修了者が究極の就職難にあえいでいる。優れた頭脳やスキルをもつ彼らが、なぜフリーターにならざるを得ないのか？ その構造的な問題を当事者自ら解説。

328
非属の才能
山田玲司
群れない、属さない――「みんなと同じ」が求められるこの国で、「みんなと違う」自分らしい人生を送るためのコツを紹介する。行列に並ぶより、行列に並ばせてやろうじゃないか。

340
実は悲惨な公務員
山本直治
グータラなくせにクビがない税金泥棒！――激しいバッシングを受けて、意気消沈する公務員たち。官から民に転職した著者が、「お気楽天国」の虚像と実像を徹底レポート。

358
「生きづらさ」について
貧困、アイデンティティ、ナショナリズム
雨宮処凛　萱野稔人
多くの人が「生きづらさ」をかかえて生きている。これは現代に特有のものなのか？ 不安定な労働や貧困、人間関係や心の病など、「生きづらさ」を生き抜くヒントを探っていく。

378
就活のバカヤロー
企業・大学・学生が演じる茶番劇
石渡嶺司　大沢仁
就職活動、通称「就活」は大いなる茶番劇だ。自己分析病にかかった学生、人材獲得に必死すぎる企業、就職実績をやたら気にする大学、三者三様の愚行と悲哀を徹底リポート。

391
天然ブスと人工美人　どちらを選びますか？
山中登志子
見た目重視の「美の格差社会」をどう生きるか？ 美人、ブス、フェチの分析、美容整形の取材、自らの「出会い系」体験から、「外見オンチ」（＝美しくない人）への処方箋を示す。

444
勉強会に1万円払うなら、上司と3回飲みなさい
前川孝雄
どんな会社でも通用する「20代の働き方」とは？ 自己啓発にはしる前に、会社組織の中で会社員として働く意味を、若いうちから正しく理解する。部下を持つ上司世代も必読！

光文社新書

188 ラッキーをつかみ取る技術 小杉俊哉

人の評価を気にしない、組織から離れてみる、嫌なことはしない、絶対にあきらめない……。キャリアが見えない時代に、こちらから積極的にラッキーを取りにいくためのキャリア論。

210 なぜあの人とは話が通じないのか？ 非・論理コミュニケーション 中西雅之

交渉決裂、会議紛糾――完璧な論理と言葉で臨んでも、自分の意見が通らないのはなぜ？ コミュニケーション学の専門家が解説する、言葉だけに頼らない説得力、交渉力、会話力。

257 企画書は1行 野地秩嘉

相手に「それをやろう」と言わせる企画書は、どれも魅力的な一行を持っている――。自分の想いを実現する一行をいかに書くか。第一人者たちの「一行の力」の源を紹介する。

286 接待の一流 おもてなしは技術です 田崎真也

なぜ日本人男性は「もてなしベタ」なのか？ 世界一ソムリエが、必ず相手に喜ばれるもてなし術を「接待編」と「デート編」に分けて解説。これをマスターすれば、人生が変わる！

403 夢をカタチにする仕事力 映画祭で学んだプロジェクトマネジメント 別所哲也

「短編映画のすばらしい世界を、みんなにも知ってもらいたい」――手弁当で始めた映画祭が、アメリカ・アカデミー賞公認のビッグイベントに！ 生みの親による体験的ビジネス論。

417 キラークエスチョン 会話は「何を聞くか」で決まる 山田玲司

会話は「何を話すか」ではなく「何を聞くか」で決まる――聞き役に徹して、相手の心の奥にある固い扉をこじ開ける質問を重ねれば、人間関係は必ず良くなる。初対面も怖くない！

460 「情報創造」の技術 三浦展

収集・整理術だけでは生き残れない！「下流社会」「ファスト風土」など多くのキーワードを生み、時代を予測し続けてきた著者が、企画・調査・プレゼン等の独自ノウハウを初公開。

光文社新書

241
99・9%は仮説
思いこみで判断しないための考え方
竹内薫

飛行機はなぜ飛ぶのか？ 科学では説明できない——科学的に一〇〇％解明されていると思われていることも、実はぜんぶ仮説にすぎなかった！ 世界の見え方が変わる科学入門。

258
人体 失敗の進化史
遠藤秀紀

「私たちヒトとは、地球の生き物として、一体何をしでかした存在なのか」——あなたの身体に刻まれた「ぼろぼろの設計図」を読み解きながら、ヒトの過去・現在・未来を知る。

371
できそこないの男たち
福岡伸一

〈生命の基本仕様〉——それは女である。オスは、メスが生み出した「使い走り」に過ぎない——。分子生物学が明らかにした「秘密の鍵」とは？ 《女と男》の《本当の関係》に迫る。

377
暴走する脳科学
哲学・倫理学からの批判的検討
河野哲也

脳研究によって、心の動きがわかるようになるのか。そもそも脳イコール心と言えるのか——。〝脳の時代〟を生きる我々誰しもが持つ疑問に、気鋭の哲学者が明快に答える。

411
傷はぜったい消毒するな
生態系としての皮膚の科学
夏井睦

傷やヤケドが、痛まず、早く、そしてキレイに治る……今注目の「湿潤治療」を確立した医師が紹介。消毒をやめられない医学界の問題や、人間の皮膚の持つ驚くべき力を解き明かす。

445
ニワトリ 愛を独り占めにした鳥
遠藤秀紀

ニワトリは人類とともに何をしでかしているのか——。地球上に一一〇億羽！ 現代の「食の神話」を支える〝家畜の最高傑作〟の実力と素顔を、注目の遺体科学者が徹底公開！

451
ダーウィンの夢
渡辺政隆

ダーウィンの夢、それは「生物はなぜ進化したのか」を明らかにすることだった。38億年の生命史を近年の研究成果から辿り、ダーウィンが知り得なかった進化の謎までを解く。